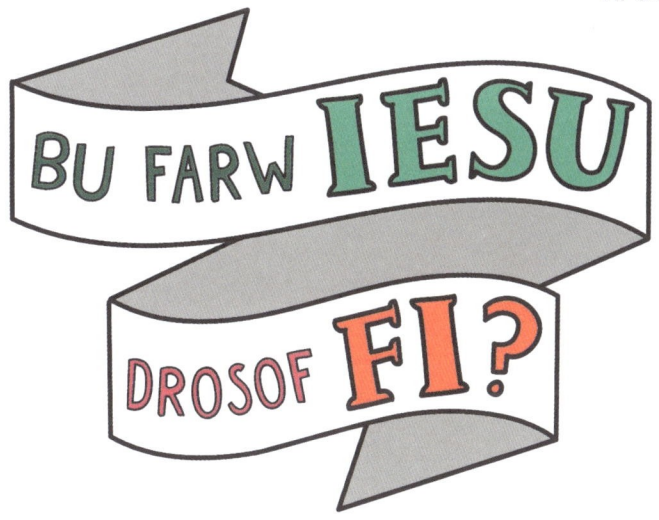

Gan Gemma Willis

Darluniau gan Emma Randall

Addasiad Cymraeg gan Delyth Wyn

Mae'r siocled yn grêt, ond dirgelwch i mi
yw pam dathlu'r Pasg? A wyddost ti?
Cwningod a chywion, blodau mor hardd,
tywydd mwy heulog a chwarae'n yr ardd?

Ond yna fe ddysgais, heb ddeall o'n i,
fe fethais ei ystyr yng nghanol y sbri -
mae'r Pasg gymaint mwy, mae hyn nawr yn glir,
mae'r stori tu cefn i'r dathlu yn wir!

'Mhell, bell yn ôl, i'ch rhoi yn y llun,
baban a anwyd, a thyfodd yn ddyn.
Dangosodd ei gariad i bawb oedd yn byw,
ei enw oedd Iesu, ef hefyd oedd Duw!

Duw fel bod dynol, fel ti ac fel fi,
fu'n byw yn ein plith ni. Fel gallwn ni
weld faint mae'n ein caru, ein caru i gyd,
anfonodd ei Fab o'r nef lawr i'n byd.

Ac Iesu a ddaeth o'r nefoedd i lawr,
anfonwyd gan Dduw yn ei gynllun mawr
i ddangos ffordd newydd i bawb yn y byd
gael 'nabod y Duw sy'n eu caru i gyd.

Roedd Duw eisiau'r gorau i bawb yn ei fyd,
cael byw'n agos ato, ond methwn o hyd.
Weithiau, gwneud llanast a'i wrthod a wnawn
ac ni all ef esgus bod popeth yn iawn.

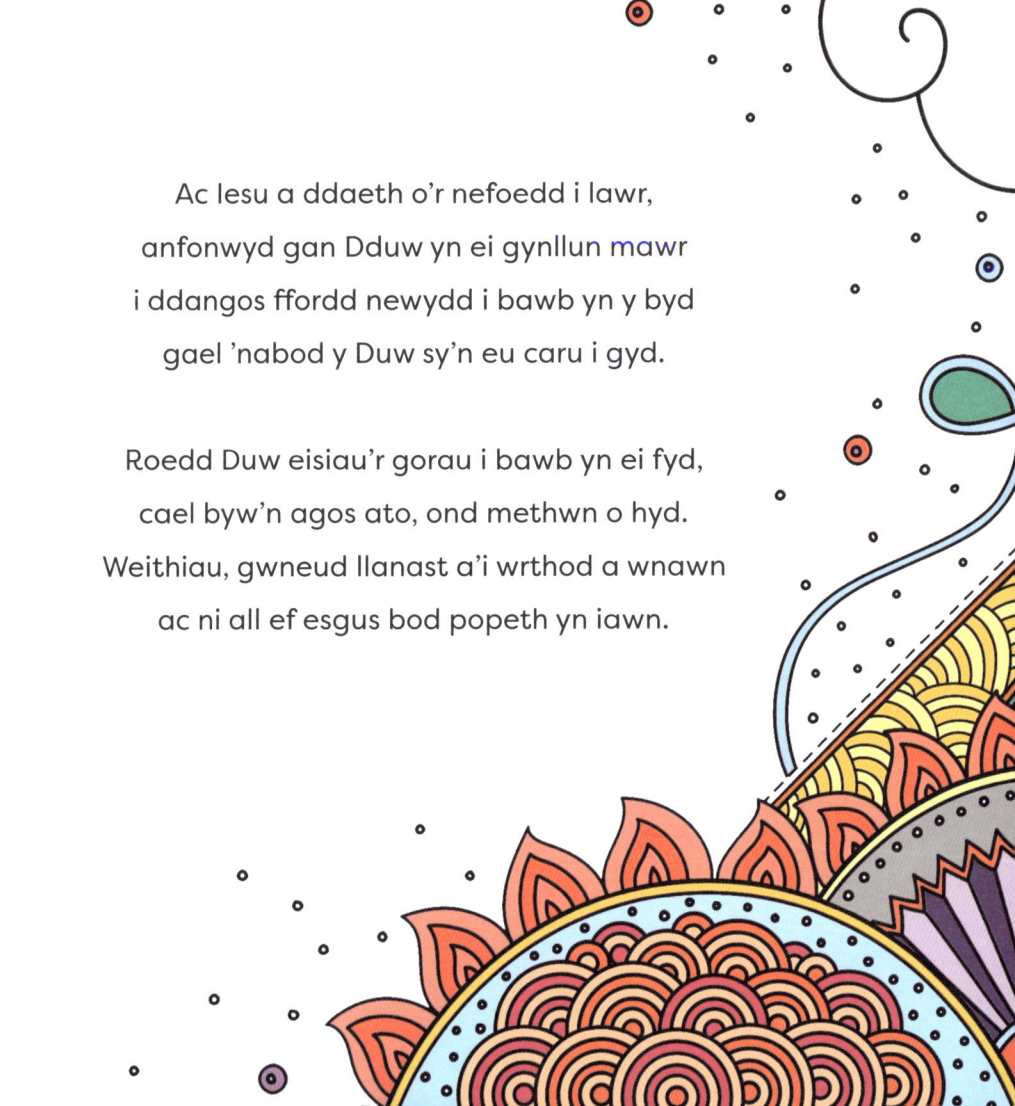

Paid ofni dim, er i hyn fod mor drist,
fe drefnodd Duw'r ffordd i'w Fab Iesu Grist,
unwaith am byth a thros ddynol ryw,
farw ar groes i bob un gael byw.

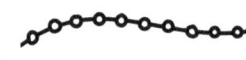

Yr hyn a wnaeth Iesu ganrifoedd yn ôl
oedd maddau ein llanast a'n cymryd i'w gôl
fel nad oedd yn rhaid i'r un enaid byw
aros mor bell oddi wrth gariad mawr Duw.

Atgoffodd Iesu y bobl am Dduw
a phwysigrwydd ei eiriau am sut i fyw
ond ni wyddai'r bobl beth wnaethant o'i le
a dadlau a wnaethant am ei eiriau e'.

Dilynodd rhai Iesu, a gweld popeth wnaeth,
clywed ei eiriau, a mynd i ble'r aeth.
Fe gawsant gip bychan ar gynllun mawr Duw,
fe gredon nhw ynddo, a bod iddo'n driw.

Pan ddwedodd Iesu mai ef oedd Mab Duw
roedd rhai yn casáu beth ddwedai'n eu clyw.
Fe wnaethant gynllwynio wrth iddynt gwrdd
a chreu cynllun cas i'w gymryd i ffwrdd.

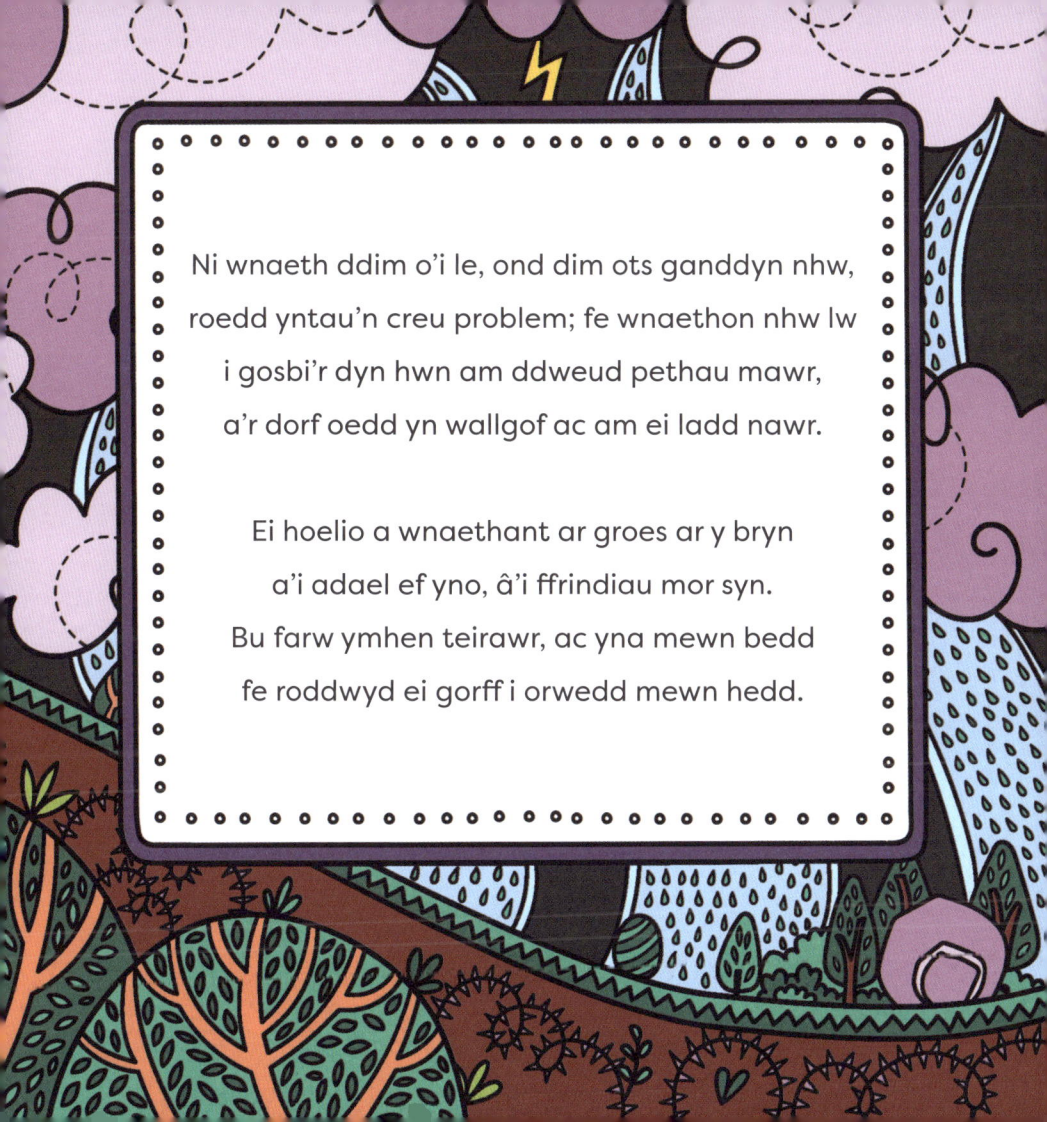

Ni wnaeth ddim o'i le, ond dim ots ganddyn nhw,
roedd yntau'n creu problem; fe wnaethon nhw lw
i gosbi'r dyn hwn am ddweud pethau mawr,
a'r dorf oedd yn wallgof ac am ei ladd nawr.

Ei hoelio a wnaethant ar groes ar y bryn
a'i adael ef yno, â'i ffrindiau mor syn.
Bu farw ymhen teirawr, ac yna mewn bedd
fe roddwyd ei gorff i orwedd mewn hedd.

Rhaid peidio anghofio bod ei ffrindiau yn drist
gan wylo ac wylo am eu ffrind Iesu Grist.
Roedd wedi dweud wrthynt y byddai e'n mynd
ond ni fedrent gredu beth ddwedai eu ffrind.

Sut oeddent i wybod mai fel hyn oedd hi i fod?
Fe gredent mai newid y byd oedd ei nod.
Sut allai ef farw? Roedd nawr wedi mynd.
Addawodd fod yno, onid ef oedd eu ffrind?

Fe ddwedodd o'r blaen mai ef oedd yr un
allai wneud pethau'n iawn, trwy roddi ei hun.
Ef, a neb arall, allai farw'n ein lle
fel unig Fab Duw, trwy ei gariad e'.

Anghofio a wnaethant beth ddwedodd Mab Duw,
y byddai yn marw a chodi yn fyw,
ac felly yr oeddent yn llawn gofidion,
roedd ef wedi mynd, eu byd oedd yn deilchion.

Dridiau yn hwyrach, aeth rhai at y bedd
i chwilio amdano, mor drist oedd eu gwedd.
Ond nid oedd ef yno, roedd Iesu yn fyw
yn union fel dwedodd ef gynt yn eu clyw.

A dyna yw pwrpas y Pasg, weli di,
bu farw'n ffrind Iesu drosot ti a mi!
Trwy'r hyn a wnaeth ef, newidiodd y byd
a dathlu mae'r Pasg y cyfan i gyd.

I ddarganfod mwy am yr hyn a wnaeth ac a ddywedodd Iesu, gallet ddarllen y stori hon drosot ti dy hun yn llyfr Luc yn y Beibl. Os nad wyt ti'n siŵr ble cei di Feibl, gofyn i'r bobl mewn capel neu eglwys leol a byddan nhw'n gallu helpu!

© Scripture Union 2022

ISBN 978 1 78506 891 1

Scripture Union, Trinity House, Opal Court, Opal Drive, Fox Milne,
Milton Keynes, MK15 0DF, UK.
E-bost: info@scriptureunion.org.uk
Gwefan: www.scriptureunion.org.uk

Cedwir pob hawl. Ni cheir atgynhyrchu unrhyw ran o'r cyhoeddiad hwn, ei storio mewn system adalw, na'i drosglwyddo ar unrhyw ffurf neu mewn unrhyw fodd electronig, mecanyddol, llungopïo, recordio neu fel arall, heb ganiatâd ymlaen llaw gan Scripture Union.

Mae Gemma Willis wedi datgan ei hawl i gael ei chydnabod yn awdur y gwaith hwn yn unol â Deddf Hawlfraint, Dyluniadau a Phatentau 1988.

Mae Emma Randall wedi datgan ei hawl i gael ei chydnabod yn arlunydd y gwaith hwn yn unol â Deddf Hawlfraint, Dyluniadau a Phatentau 1988.

Data Catalogio Cyhoeddiadau (CIP) y Llyfrgell Brydeinig. Mae cofnod catalogio'r llyfr hwn ar gael gan y Llyfrgell Brydeinig.

Argraffwyd gan Belmont Press, Northampton, UK.

 Elusen Gristnogol gydenwadol yw Scripture Union sy'n gweithio i rannu newyddion da Iesu gyda'r genhedlaeth nesaf.

Trwy ystod eang o weithgareddau, adnoddau a mentrau, rydym yn gwahodd plant a phobl ifanc i archwilio'r gwahaniaeth y gall Iesu ei wneud i heriau ac anturiaethau bywyd. Darganfyddwch fwy am ein gwaith yn: www.scriptureunion.org.uk

Gan Gemma Willis

Darluniau gan Emma Randall

Addasiad Cymraeg gan Delyth Wyn

Mae'r siocled yn grêt, ond dirgelwch i mi
yw pam dathlu'r Pasg? A wyddost ti?
Cwningod a chywion, blodau mor hardd,
tywydd mwy heulog a chwarae'n yr ardd?

Ond yna fe ddysgais, heb ddeall o'n i,
fe fethais ei ystyr yng nghanol y sbri -
mae'r Pasg gymaint mwy, mae hyn nawr yn glir,
mae'r stori tu cefn i'r dathlu yn wir!

'Mhell, bell yn ôl, i'ch rhoi yn y llun,
baban a anwyd, a thyfodd yn ddyn.
Dangosodd ei gariad i bawb oedd yn byw,
ei enw oedd Iesu, ef hefyd oedd Duw!

Duw fel bod dynol, fel ti ac fel fi,
fu'n byw yn ein plith ni. Fel gallwn ni
weld faint mae'n ein caru, ein caru i gyd,
anfonodd ei Fab o'r nef lawr i'n byd.

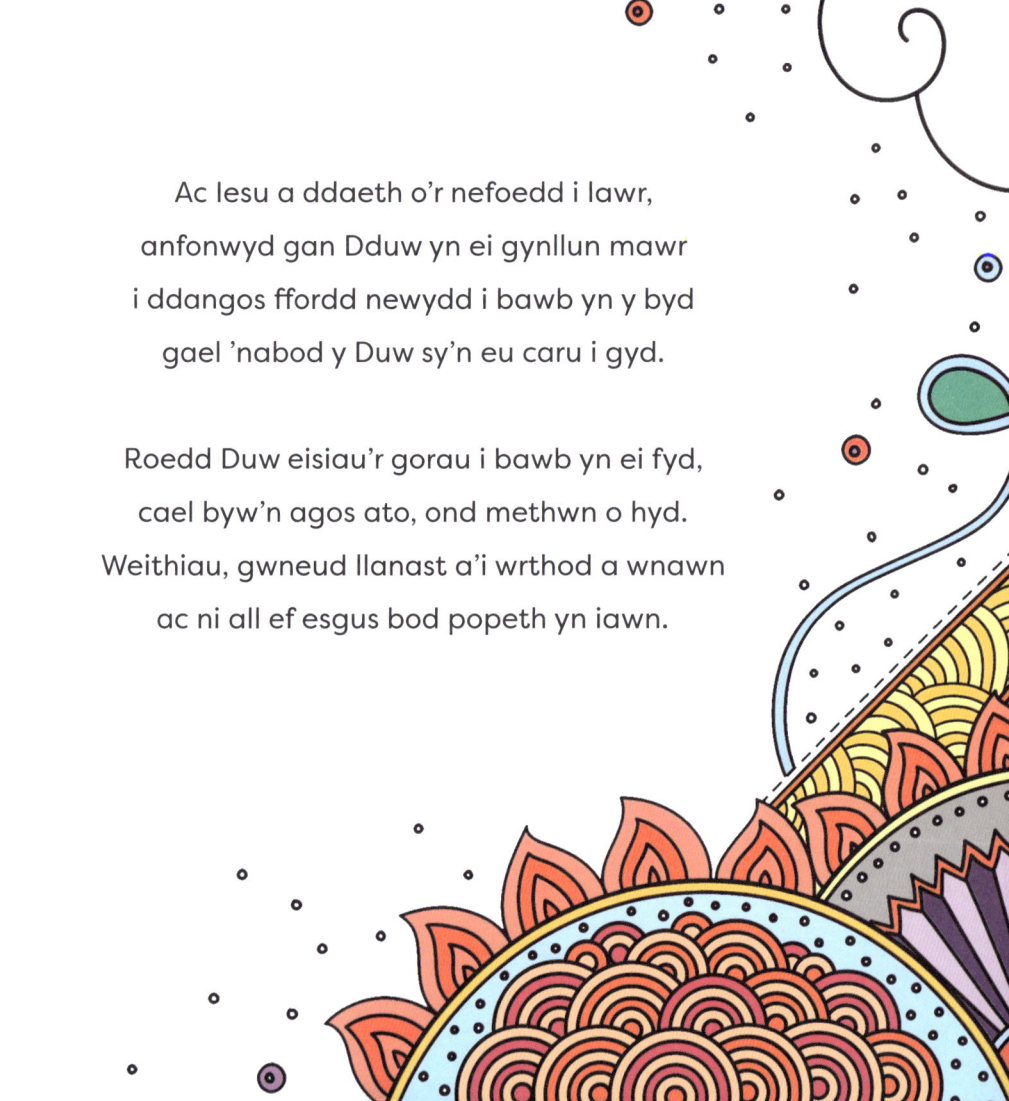

Ac Iesu a ddaeth o'r nefoedd i lawr,
anfonwyd gan Dduw yn ei gynllun mawr
i ddangos ffordd newydd i bawb yn y byd
gael 'nabod y Duw sy'n eu caru i gyd.

Roedd Duw eisiau'r gorau i bawb yn ei fyd,
cael byw'n agos ato, ond methwn o hyd.
Weithiau, gwneud llanast a'i wrthod a wnawn
ac ni all ef esgus bod popeth yn iawn.

Paid ofni dim, er i hyn fod mor drist,
fe drefnodd Duw'r ffordd i'w Fab Iesu Grist,
unwaith am byth a thros ddynol ryw,
farw ar groes i bob un gael byw.

Yr hyn a wnaeth Iesu ganrifoedd yn ôl
oedd maddau ein llanast a'n cymryd i'w gôl
fel nad oedd yn rhaid i'r un enaid byw
aros mor bell oddi wrth gariad mawr Duw.

Atgoffodd Iesu y bobl am Dduw
a phwysigrwydd ei eiriau am sut i fyw
ond ni wyddai'r bobl beth wnaethant o'i le
a dadlau a wnaethant am ei eiriau e'.

Dilynodd rhai Iesu, a gweld popeth wnaeth,
clywed ei eiriau, a mynd i ble'r aeth.
Fe gawsant gip bychan ar gynllun mawr Duw,
fe gredon nhw ynddo, a bod iddo'n driw.

Pan ddwedodd Iesu mai ef oedd Mab Duw
roedd rhai yn casáu beth ddwedai'n eu clyw.
Fe wnaethant gynllwynio wrth iddynt gwrdd
a chreu cynllun cas i'w gymryd i ffwrdd.

Ni wnaeth ddim o'i le, ond dim ots ganddyn nhw,
roedd yntau'n creu problem; fe wnaethon nhw lw
i gosbi'r dyn hwn am ddweud pethau mawr,
a'r dorf oedd yn wallgof ac am ei ladd nawr.

Ei hoelio a wnaethant ar groes ar y bryn
a'i adael ef yno, â'i ffrindiau mor syn.
Bu farw ymhen teirawr, ac yna mewn bedd
fe roddwyd ei gorff i orwedd mewn hedd.

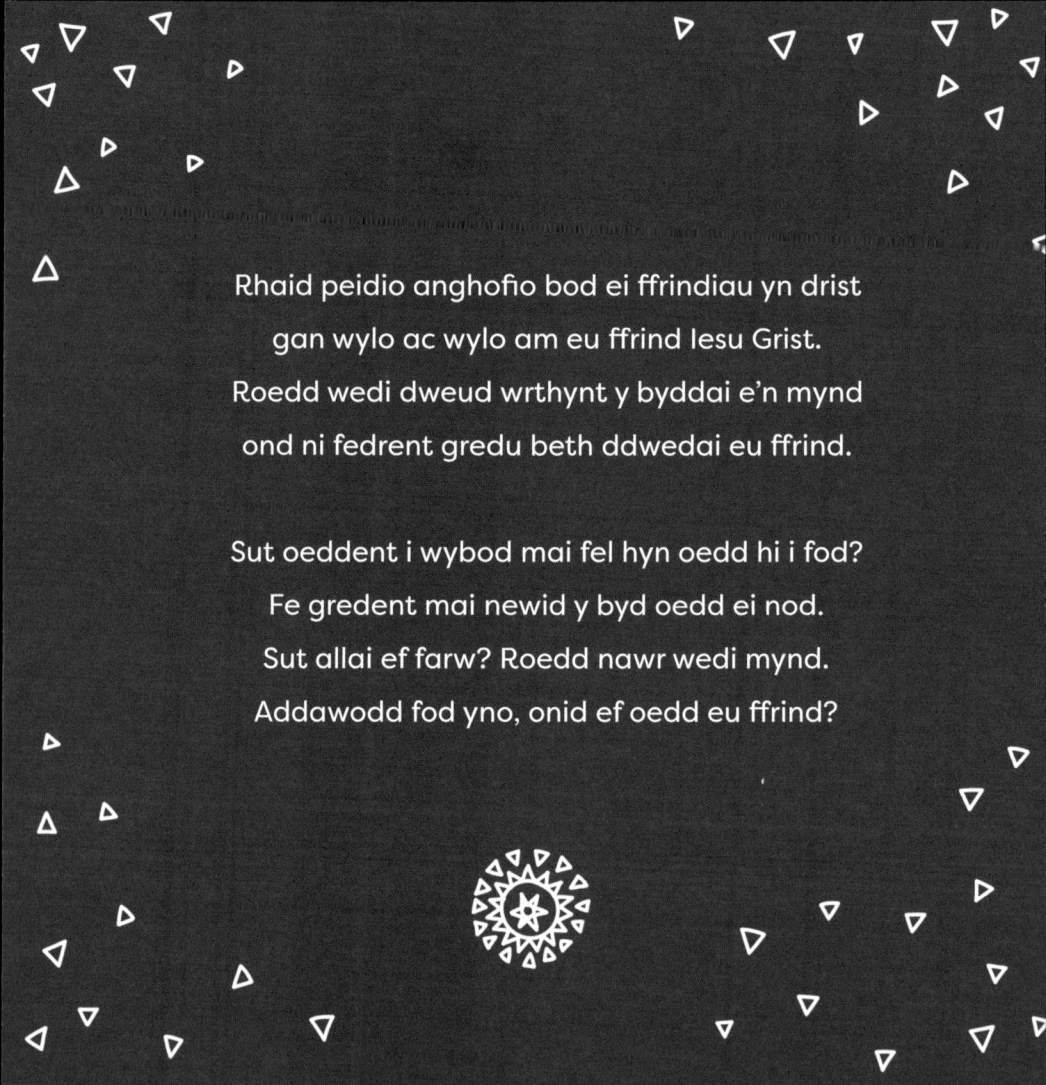

Rhaid peidio anghofio bod ei ffrindiau yn drist
gan wylo ac wylo am eu ffrind Iesu Grist.
Roedd wedi dweud wrthynt y byddai e'n mynd
ond ni fedrent gredu beth ddwedai eu ffrind.

Sut oeddent i wybod mai fel hyn oedd hi i fod?
Fe gredent mai newid y byd oedd ei nod.
Sut allai ef farw? Roedd nawr wedi mynd.
Addawodd fod yno, onid ef oedd eu ffrind?

Fe ddwedodd o'r blaen mai ef oedd yr un
allai wneud pethau'n iawn, trwy roddi ei hun.
Ef, a neb arall, allai farw'n ein lle
fel unig Fab Duw, trwy ei gariad e'.

Anghofio a wnaethant beth ddwedodd Mab Duw,
y byddai yn marw a chodi yn fyw,
ac felly yr oeddent yn llawn gofidion,
roedd ef wedi mynd, eu byd oedd yn deilchion.

Dridiau yn hwyrach, aeth rhai at y bedd
i chwilio amdano, mor drist oedd eu gwedd.
Ond nid oedd ef yno, roedd Iesu yn fyw
yn union fel dwedodd ef gynt yn eu clyw.

A dyna yw pwrpas y Pasg, weli di,
bu farw'n ffrind Iesu drosot ti a mi!
Trwy'r hyn a wnaeth ef, newidiodd y byd
a dathlu mae'r Pasg y cyfan i gyd.

I ddarganfod mwy am yr hyn a wnaeth ac a ddywedodd Iesu, gallet ddarllen y stori hon drosot ti dy hun yn llyfr Luc yn y Beibl. Os nad wyt ti'n siŵr ble cei di Feibl, gofyn i'r bobl mewn capel neu eglwys leol a byddan nhw'n gallu helpu!

© Scripture Union 2022

ISBN 978 1 78506 8911

Scripture Union, Trinity House, Opal Court, Opal Drive, Fox Milne,
Milton Keynes, MK15 0DF, UK
E-bost: info@scriptureunion.org.uk
Gwefan: www.scriptureunion.org.uk

Cedwir pob hawl. Ni cheir atgynhyrchu unrhyw ran o'r cyhoeddiad hwn, ei storio mewn system adalw, na'i drosglwyddo ar unrhyw ffurf neu mewn unrhyw fodd electronig, mecanyddol, llungopïo, recordio neu fel arall, heb ganiatâd ymlaen llaw gan Scripture Union.

Mae Gemma Willis wedi datgan ei hawl i gael ei chydnabod yn awdur y gwaith hwn yn unol â Deddf Hawlfraint, Dyluniadau a Phatentau 1988.

Mae Emma Randall wedi datgan ei hawl i gael ei chydnabod yn arlunydd y gwaith hwn yn unol â Deddf Hawlfraint, Dyluniadau a Phatentau 1988.

Data Catalogio Cyhoeddiadau (CIP) y Llyfrgell Brydeinig. Mae cofnod catalogio'r llyfr hwn ar gael gan y Llyfrgell Brydeinig.

Argraffwyd gan Belmont Press, Northampton, UK

 Elusen Gristnogol gydenwadol yw Scripture Union sy'n gweithio i rannu newyddion da Iesu gyda'r genhedlaeth nesaf.

Trwy ystod eang o weithgareddau, adnoddau a mentrau, rydym yn gwahodd plant a phobl ifanc i archwilio'r gwahaniaeth y gall Iesu ei wneud i heriau ac anturiaethau bywyd. Darganfyddwch fwy am ein gwaith yn: www.scriptureunion.org.uk

Gan Gemma Willis

Darluniau gan Emma Randall

Addasiad Cymraeg gan Delyth Wyn

Mae'r siocled yn grêt, ond dirgelwch i mi
yw pam dathlu'r Pasg? A wyddost ti?
Cwningod a chywion, blodau mor hardd,
tywydd mwy heulog a chwarae'n yr ardd?

Ond yna fe ddysgais, heb ddeall o'n i,
fe fethais ei ystyr yng nghanol y sbri -
mae'r Pasg gymaint mwy, mae hyn nawr yn glir,
mae'r stori tu cefn i'r dathlu yn wir!

'Mhell, bell yn ôl, i'ch rhoi yn y llun,
baban a anwyd, a thyfodd yn ddyn.
Dangosodd ei gariad i bawb oedd yn byw,
ei enw oedd Iesu, ef hefyd oedd Duw!

Duw fel bod dynol, fel ti ac fel fi,
fu'n byw yn ein plith ni. Fel gallwn ni
weld faint mae'n ein caru, ein caru i gyd,
anfonodd ei Fab o'r nef lawr i'n byd.

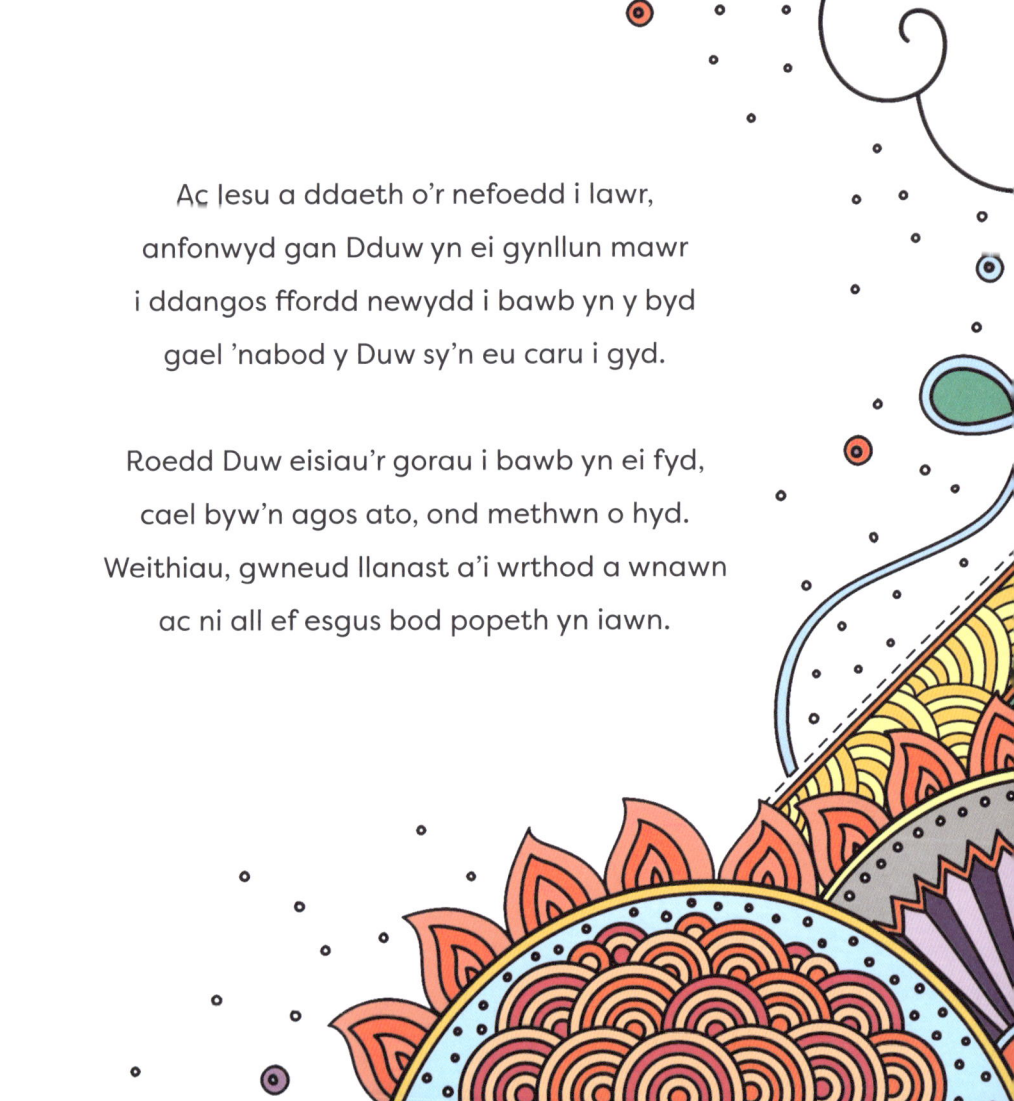

Ac Iesu a ddaeth o'r nefoedd i lawr,
anfonwyd gan Dduw yn ei gynllun mawr
i ddangos ffordd newydd i bawb yn y byd
gael 'nabod y Duw sy'n eu caru i gyd.

Roedd Duw eisiau'r gorau i bawb yn ei fyd,
cael byw'n agos ato, ond methwn o hyd.
Weithiau, gwneud llanast a'i wrthod a wnawn
ac ni all ef esgus bod popeth yn iawn.

Paid ofni dim, er i hyn fod mor drist,
fe drefnodd Duw'r ffordd i'w Fab Iesu Grist,
unwaith am byth a thros ddynol ryw,
farw ar groes i bob un gael byw.

Yr hyn a wnaeth Iesu ganrifoedd yn ôl
oedd maddau ein llanast a'n cymryd i'w gôl
fel nad oedd yn rhaid i'r un enaid byw
aros mor bell oddi wrth gariad mawr Duw.

Atgoffodd Iesu y bobl am Dduw
a phwysigrwydd ei eiriau am sut i fyw
ond ni wyddai'r bobl beth wnaethant o'i le
a dadlau a wnaethant am ei eiriau e'.

Dilynodd rhai Iesu, a gweld popeth wnaeth,
clywed ei eiriau, a mynd i ble'r aeth.
Fe gawsant gip bychan ar gynllun mawr Duw,
fe gredon nhw ynddo, a bod iddo'n driw.

Pan ddwedodd Iesu mai ef oedd Mab Duw
roedd rhai yn casáu beth ddwedai'n eu clyw.
Fe wnaethant gynllwynio wrth iddynt gwrdd
a chreu cynllun cas i'w gymryd i ffwrdd.

Ni wnaeth ddim o'i le, ond dim ots ganddyn nhw,
roedd yntau'n creu problem; fe wnaethon nhw lw
i gosbi'r dyn hwn am ddweud pethau mawr,
a'r dorf oedd yn wallgof ac am ei ladd nawr.

Ei hoelio a wnaethant ar groes ar y bryn
a'i adael ef yno, â'i ffrindiau mor syn.
Bu farw ymhen teirawr, ac yna mewn bedd
fe roddwyd ei gorff i orwedd mewn hedd.

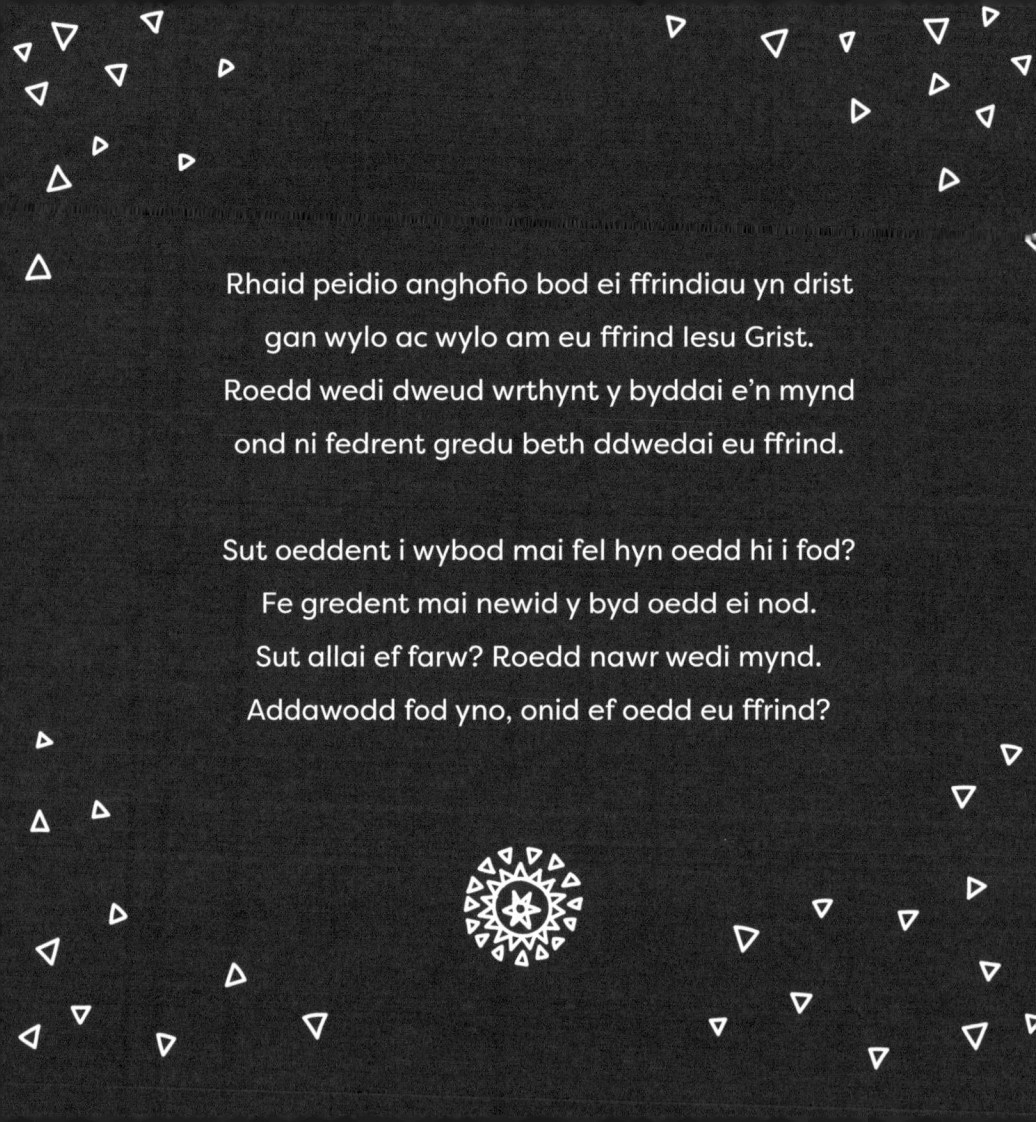

Rhaid peidio anghofio bod ei ffrindiau yn drist
gan wylo ac wylo am eu ffrind Iesu Grist.
Roedd wedi dweud wrthynt y byddai e'n mynd
ond ni fedrent gredu beth ddwedai eu ffrind.

Sut oeddent i wybod mai fel hyn oedd hi i fod?
Fe gredent mai newid y byd oedd ei nod.
Sut allai ef farw? Roedd nawr wedi mynd.
Addawodd fod yno, onid ef oedd eu ffrind?

Fe ddwedodd o'r blaen mai ef oedd yr un
allai wneud pethau'n iawn, trwy roddi ei hun.
Ef, a neb arall, allai farw'n ein lle
fel unig Fab Duw, trwy ei gariad e'.

Anghofio a wnaethant beth ddwedodd Mab Duw,
y byddai yn marw a chodi yn fyw,
ac felly yr oeddent yn llawn gofidion,
roedd ef wedi mynd, eu byd oedd yn deilchion.

Dridiau yn hwyrach, aeth rhai at y bedd
i chwilio amdano, mor drist oedd eu gwedd.
Ond nid oedd ef yno, roedd Iesu yn fyw
yn union fel dwedodd ef gynt yn eu clyw.

A dyna yw pwrpas y Pasg, weli di,
bu farw'n ffrind Iesu drosot ti a mi!
Trwy'r hyn a wnaeth ef, newidiodd y byd
a dathlu mae'r Pasg y cyfan i gyd.

I ddarganfod mwy am yr hyn a wnaeth ac a ddywedodd Iesu, gallet ddarllen y stori hon drosot ti dy hun yn llyfr Luc yn y Beibl. Os nad wyt ti'n siŵr ble cei di Feibl, gofyn i'r bobl mewn capel neu eglwys leol a byddan nhw'n gallu helpu!

© Scripture Union 2022

ISBN 978 1 78506 891 1

Scripture Union, Trinity House, Opal Court, Opal Drive, Fox Milne,
Milton Keynes, MK15 0DF, UK
E-bost: info@scriptureunion.org.uk
Gwefan: www.scriptureunion.org.uk

Cedwir pob hawl. Ni cheir atgynhyrchu unrhyw ran o'r cyhoeddiad hwn, ei storio mewn system adalw, na'i drosglwyddo ar unrhyw ffurf neu mewn unrhyw fodd electronig, mecanyddol, llungopïo, recordio neu fel arall, heb ganiatâd ymlaen llaw gan Scripture Union.

Mae Gemma Willis wedi datgan ei hawl i gael ei chydnabod yn awdur y gwaith hwn yn unol â Deddf Hawlfraint, Dyluniadau a Phatentau 1988.

Mae Emma Randall wedi datgan ei hawl i gael ei chydnabod yn arlunydd y gwaith hwn yn unol â Deddf Hawlfraint, Dyluniadau a Phatentau 1988.

Data Catalogio Cyhoeddiadau (CIP) y Llyfrgell Brydeinig. Mae cofnod catalogio'r llyfr hwn ar gael gan y Llyfrgell Brydeinig.

Argraffwyd gan Belmont Press, Northampton, UK.

 Elusen Gristnogol gydenwadol yw Scripture Union sy'n gweithio i rannu newyddion da Iesu gyda'r genhedlaeth nesaf.

Trwy ystod eang o weithgareddau, adnoddau a mentrau, rydym yn gwahodd plant a phobl ifanc i archwilio'r gwahaniaeth y gall Iesu ei wneud i heriau ac anturiaethau bywyd. Darganfyddwch fwy am ein gwaith yn: www.scriptureunion.org.uk

Gan Gemma Willis

Darluniau gan Emma Randall

Addasiad Cymraeg gan Delyth Wyn

Mae'r siocled yn grêt, ond dirgelwch i mi
yw pam dathlu'r Pasg? A wyddost ti?
Cwningod a chywion, blodau mor hardd,
tywydd mwy heulog a chwarae'n yr ardd?

Ond yna fe ddysgais, heb ddeall o'n i,
fe fethais ei ystyr yng nghanol y sbri -
mae'r Pasg gymaint mwy, mae hyn nawr yn glir,
mae'r stori tu cefn i'r dathlu yn wir!

'Mhell, bell yn ôl, i'ch rhoi yn y llun,
baban a anwyd, a thyfodd yn ddyn.
Dangosodd ei gariad i bawb oedd yn byw,
ei enw oedd Iesu, ef hefyd oedd Duw!

Duw fel bod dynol, fel ti ac fel fi,
fu'n byw yn ein plith ni. Fel gallwn ni
weld faint mae'n ein caru, ein caru i gyd,
anfonodd ei Fab o'r nef lawr i'n byd.

Ac Iesu a ddaeth o'r nefoedd i lawr,
anfonwyd gan Dduw yn ei gynllun mawr
i ddangos ffordd newydd i bawb yn y byd
gael 'nabod y Duw sy'n eu caru i gyd.

Roedd Duw eisiau'r gorau i bawb yn ei fyd,
cael byw'n agos ato, ond methwn o hyd.
Weithiau, gwneud llanast a'i wrthod a wnawn
ac ni all ef esgus bod popeth yn iawn.

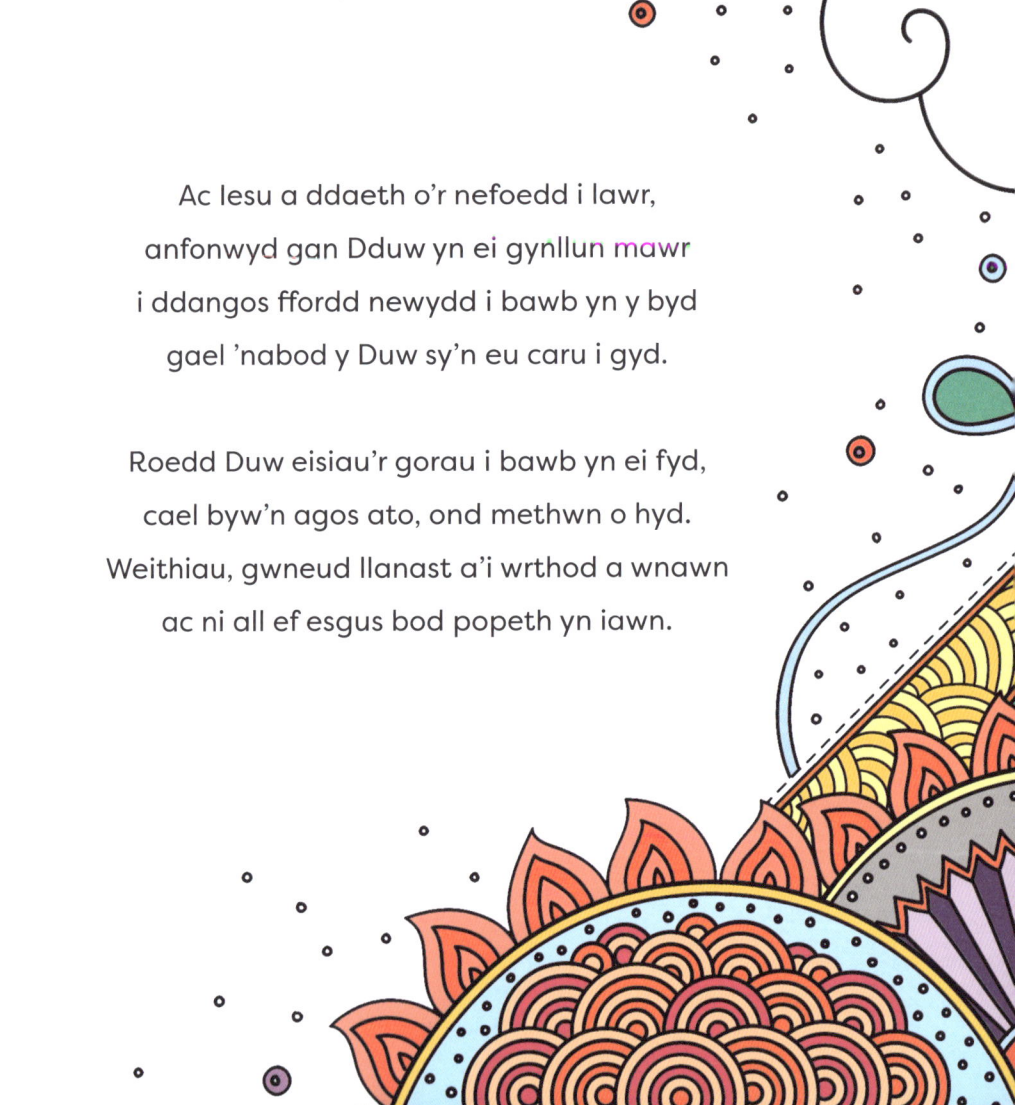

Paid ofni dim, er i hyn fod mor drist,
fe drefnodd Duw'r ffordd i'w Fab Iesu Grist,
unwaith am byth a thros ddynol ryw,
farw ar groes i bob un gael byw.

Yr hyn a wnaeth Iesu ganrifoedd yn ôl
oedd maddau ein llanast a'n cymryd i'w gôl
fel nad oedd yn rhaid i'r un enaid byw
aros mor bell oddi wrth gariad mawr Duw.

Atgoffodd Iesu y bobl am Dduw
a phwysigrwydd ei eiriau am sut i fyw
ond ni wyddai'r bobl beth wnaethant o'i le
a dadlau a wnaethant am ei eiriau e'.

Dilynodd rhai Iesu, a gweld popeth wnaeth,
clywed ei eiriau, a mynd i ble'r aeth
Fe gawsant gip bychan ar gynllun mawr Duw,
fe gredon nhw ynddo, a bod iddo'n driw.

Pan ddwedodd Iesu mai ef oedd Mab Duw
roedd rhai yn casáu beth ddwedai'n eu clyw.
Fe wnaethant gynllwynio wrth iddynt gwrdd
a chreu cynllun cas i'w gymryd i ffwrdd.

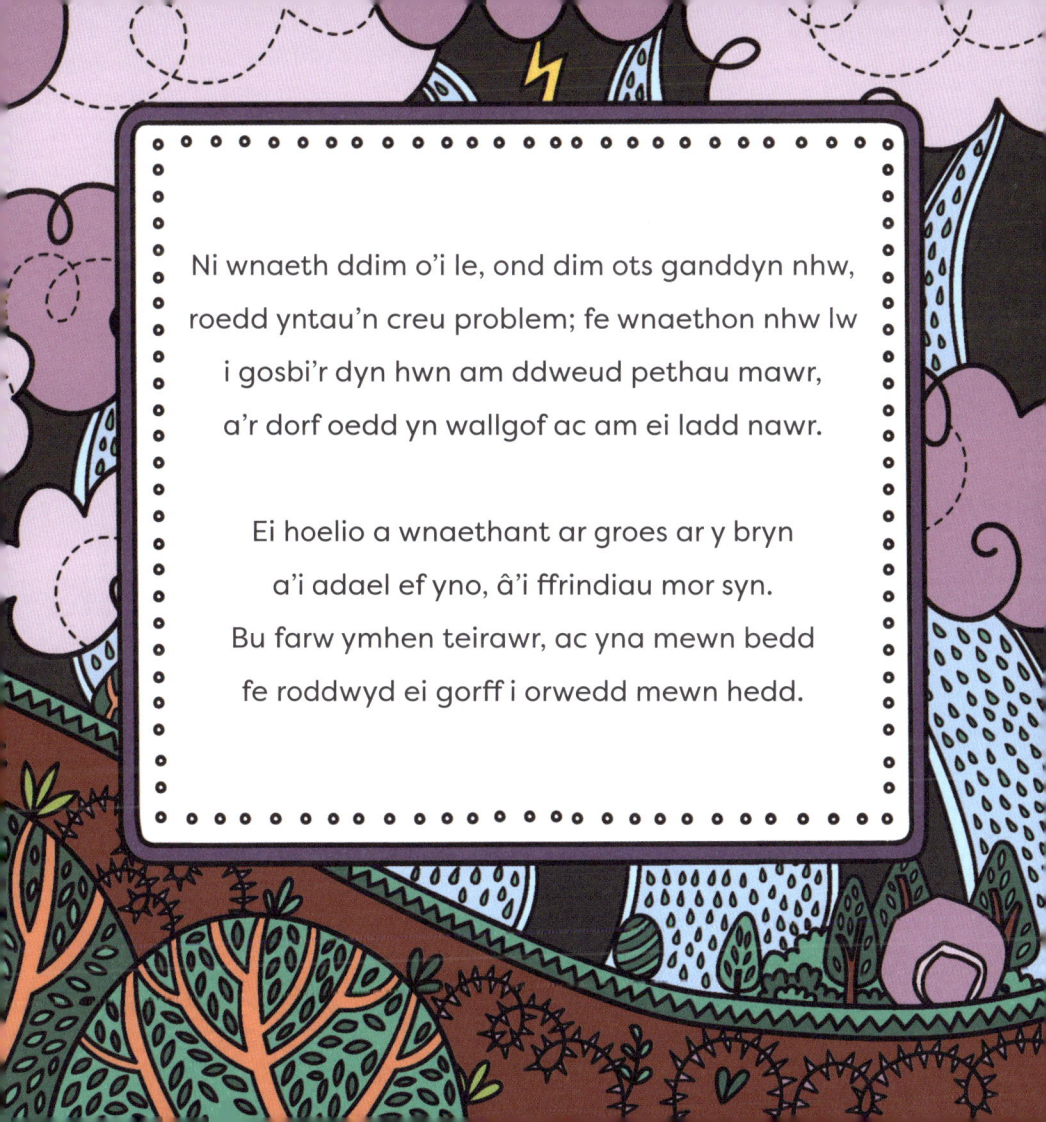

Ni wnaeth ddim o'i le, ond dim ots ganddyn nhw,
roedd yntau'n creu problem; fe wnaethon nhw lw
i gosbi'r dyn hwn am ddweud pethau mawr,
a'r dorf oedd yn wallgof ac am ei ladd nawr.

Ei hoelio a wnaethant ar groes ar y bryn
a'i adael ef yno, â'i ffrindiau mor syn.
Bu farw ymhen teirawr, ac yna mewn bedd
fe roddwyd ei gorff i orwedd mewn hedd.

Rhaid peidio anghofio bod ei ffrindiau yn drist
gan wylo ac wylo am eu ffrind Iesu Grist.
Roedd wedi dweud wrthynt y byddai e'n mynd
ond ni fedrent gredu beth ddwedai eu ffrind.

Sut oeddent i wybod mai fel hyn oedd hi i fod?
Fe gredent mai newid y byd oedd ei nod.
Sut allai ef farw? Roedd nawr wedi mynd.
Addawodd fod yno, onid ef oedd eu ffrind?

Fe ddwedodd o'r blaen mai ef oedd yr un
allai wneud pethau'n iawn, trwy roddi ei hun.
Ef, a neb arall, allai farw'n ein lle
fel unig Fab Duw, trwy ei gariad e'.

Anghofio a wnaethant beth ddwedodd Mab Duw,
y byddai yn marw a chodi yn fyw,
ac felly yr oeddent yn llawn gofidion,
roedd ef wedi mynd, eu byd oedd yn deilchion.

Dridiau yn hwyrach, aeth rhai at y bedd
i chwilio amdano, mor drist oedd eu gwedd.
Ond nid oedd ef yno, roedd Iesu yn fyw
yn union fel dwedodd ef gynt yn eu clyw.

A dyna yw pwrpas y Pasg, weli di,
bu farw'n ffrind Iesu drosot ti a mi!
Trwy'r hyn a wnaeth ef, newidiodd y byd
a dathlu mae'r Pasg y cyfan i gyd.

I ddarganfod mwy am yr hyn a wnaeth ac a ddywedodd Iesu, gallet ddarllen y stori hon drosot ti dy hun yn llyfr Luc yn y Beibl. Os nad wyt ti'n siŵr ble cei di Feibl, gofyn i'r bobl mewn capel neu eglwys leol a byddan nhw'n gallu helpu!

© Scripture Union 2022

ISBN 978 1 78506 891 1

Scripture Union, Trinity House, Opal Court, Opal Drive, Fox Milne,
Milton Keynes, MK15 0DF, UK
E-bost: info@scriptureunion.org.uk
Gwefan: www.scriptureunion.org.uk

Cedwir pob hawl. Ni cheir atgynhyrchu unrhyw ran o'r cyhoeddiad hwn, ei storio mewn system adalw, na'i drosglwyddo ar unrhyw ffurf neu mewn unrhyw fodd electronig, mecanyddol, llungopïo, recordio neu fel arall, heb ganiatâd ymlaen llaw gan Scripture Union.

Mae Gemma Willis wedi datgan ei hawl i gael ei chydnabod yn awdur y gwaith hwn yn unol â Deddf Hawlfraint, Dyluniadau a Phatentau 1988.

Mae Emma Randall wedi datgan ei hawl i gael ei chydnabod yn arlunydd y gwaith hwn yn unol â Deddf Hawlfraint, Dyluniadau a Phatentau 1988.

Data Catalogio Cyhoeddiadau (CIP) y Llyfrgell Brydeinig. Mae cofnod catalogio'r llyfr hwn ar gael gan y Llyfrgell Brydeinig.

Argraffwyd gan Belmont Press, Northampton, UK.

 Elusen Gristnogol gydenwadol yw Scripture Union sy'n gweithio i rannu newyddion da Iesu gyda'r genhedlaeth nesaf.

Trwy ystod eang o weithgareddau, adnoddau a mentrau, rydym yn gwahodd plant a phobl ifanc i archwilio'r gwahaniaeth y gall Iesu ei wneud i heriau ac anturiaethau bywyd. Darganfyddwch fwy am ein gwaith yn: www.scriptureunion.org.uk

Gan Gemma Willis

Darluniau gan Emma Randall

Addasiad Cymraeg gan Delyth Wyn

Mae'r siocled yn grêt, ond dirgelwch i mi
yw pam dathlu'r Pasg? A wyddost ti?
Cwningod a chywion, blodau mor hardd,
tywydd mwy heulog a chwarae'n yr ardd?

Ond yna fe ddysgais, heb ddeall o'n i,
fe fethais ei ystyr yng nghanol y sbri –
mae'r Pasg gymaint mwy, mae hyn nawr yn glir,
mae'r stori tu cefn i'r dathlu yn wir!

'Mhell, bell yn ôl, i'ch rhoi yn y llun,
baban a anwyd, a thyfodd yn ddyn.
Dangosodd ei gariad i bawb oedd yn byw,
ei enw oedd Iesu, ef hefyd oedd Duw!

Duw fel bod dynol, fel ti ac fel fi,
fu'n byw yn ein plith ni. Fel gallwn ni
weld faint mae'n ein caru, ein caru i gyd,
anfonodd ei Fab o'r nef lawr i'n byd.

Ac Iesu a ddaeth o'r nefoedd i lawr,
anfonwyd gan Dduw yn ei gynllun mawr
i ddangos ffordd newydd i bawb yn y byd
gael 'nabod y Duw sy'n eu caru i gyd.

Roedd Duw eisiau'r gorau i bawb yn ei fyd,
cael byw'n agos ato, ond methwn o hyd.
Weithiau, gwneud llanast a'i wrthod a wnawn
ac ni all ef esgus bod popeth yn iawn.

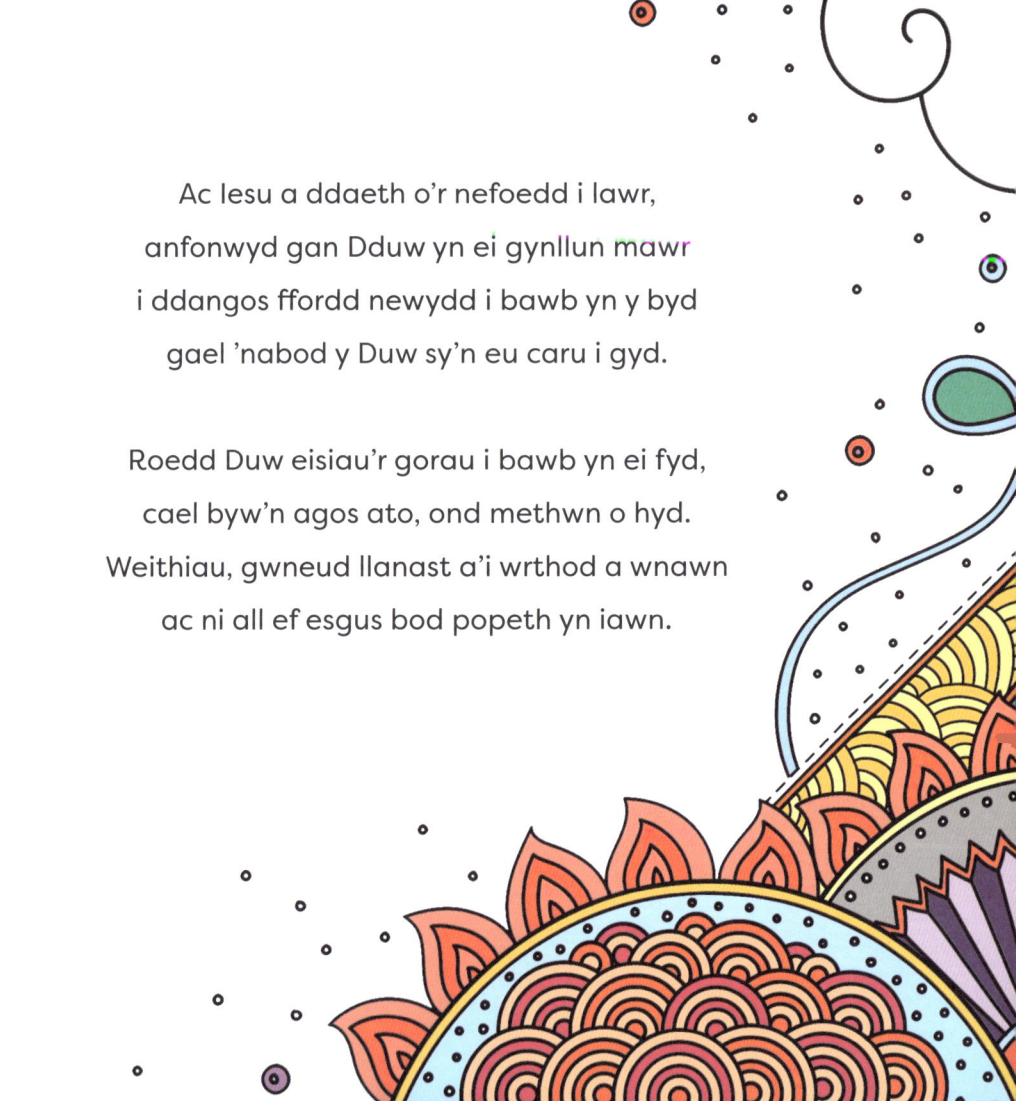

Paid ofni dim, er i hyn fod mor drist,
fe drefnodd Duw'r ffordd i'w Fab Iesu Grist,
unwaith am byth a thros ddynol ryw,
farw ar groes i bob un gael byw.

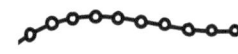

Yr hyn a wnaeth Iesu ganrifoedd yn ôl
oedd maddau ein llanast a'n cymryd i'w gôl
fel nad oedd yn rhaid i'r un enaid byw
aros mor bell oddi wrth gariad mawr Duw.

Atgoffodd Iesu y bobl am Dduw
a phwysigrwydd ei eiriau am sut i fyw
ond ni wyddai'r bobl beth wnaethant o'i le
a dadlau a wnaethant am ei eiriau e'.

Dilynodd rhai Iesu, a gweld popeth wnaeth,
clywed ei eiriau, a mynd i ble'r aeth.
Fe gawsant gip bychan ar gynllun mawr Duw,
fe gredon nhw ynddo, a bod iddo'n driw.

Pan ddwedodd Iesu mai ef oedd Mab Duw
roedd rhai yn casáu beth ddwedai'n eu clyw.
Fe wnaethant gynllwynio wrth iddynt gwrdd
a chreu cynllun cas i'w gymryd i ffwrdd.

Ni wnaeth ddim o'i le, ond dim ots ganddyn nhw,
roedd yntau'n creu problem; fe wnaethon nhw lw
i gosbi'r dyn hwn am ddweud pethau mawr,
a'r dorf oedd yn wallgof ac am ei ladd nawr.

Ei hoelio a wnaethant ar groes ar y bryn
a'i adael ef yno, â'i ffrindiau mor syn.
Bu farw ymhen teirawr, ac yna mewn bedd
fe roddwyd ei gorff i orwedd mewn hedd.

Rhaid peidio anghofio bod ei ffrindiau yn drist
gan wylo ac wylo am eu ffrind Iesu Grist.
Roedd wedi dweud wrthynt y byddai e'n mynd
ond ni fedrent gredu beth ddwedai eu ffrind.

Sut oeddent i wybod mai fel hyn oedd hi i fod?
Fe gredent mai newid y byd oedd ei nod.
Sut allai ef farw? Roedd nawr wedi mynd.
Addawodd fod yno, onid ef oedd eu ffrind?

Fe ddwedodd o'r blaen mai ef oedd yr un
allai wneud pethau'n iawn, trwy roddi ei hun.
Ef, a neb arall, allai farw'n ein lle
fel unig Fab Duw, trwy ei gariad e'.

Anghofio a wnaethant beth ddwedodd Mab Duw,
y byddai yn marw a chodi yn fyw,
ac felly yr oeddent yn llawn gofidion,
roedd ef wedi mynd, eu byd oedd yn deilchion.

Dridiau yn hwyrach, aeth rhai at y bedd
i chwilio amdano, mor drist oedd eu gwedd.
Ond nid oedd ef yno, roedd Iesu yn fyw
yn union fel dwedodd ef gynt yn eu clyw.

A dyna yw pwrpas y Pasg, weli di,
bu farw'n ffrind Iesu drosot ti a mi!
Trwy'r hyn a wnaeth ef, newidiodd y byd
a dathlu mae'r Pasg y cyfan i gyd.

I ddarganfod mwy am yr hyn a wnaeth ac a ddywedodd Iesu, gallet ddarllen y stori hon drosot ti dy hun yn llyfr Luc yn y Beibl. Os nad wyt ti'n siŵr ble cei di Feibl, gofyn i'r bobl mewn capel neu eglwys leol a byddan nhw'n gallu helpu!

© Scripture Union 2022

ISBN 978 1 78506 8911

Scripture Union, Trinity House, Opal Court, Opal Drive, Fox Milne,
Milton Keynes, MK15 0DF, UK
E-bost: info@scriptureunion.org.uk
Gwefan: www.scriptureunion.org.uk

Cedwir pob hawl. Ni cheir atgynhyrchu unrhyw ran o'r cyhoeddiad hwn, ei storio mewn system adalw, na'i drosglwyddo ar unrhyw ffurf neu mewn unrhyw fodd electronig, mecanyddol, llungopïo, recordio neu fel arall, heb ganiatâd ymlaen llaw gan Scripture Union.

Mae Gemma Willis wedi datgan ei hawl i gael ei chydnabod yn awdur y gwaith hwn yn unol â Deddf Hawlfraint, Dyluniadau a Phatentau 1988.

Mae Emma Randall wedi datgan ei hawl i gael ei chydnabod yn arlunydd y gwaith hwn yn unol â Deddf Hawlfraint, Dyluniadau a Phatentau 1988.

Data Catalogio Cyhoeddiadau (CIP) y Llyfrgell Brydeinig. Mae cofnod catalogio'r llyfr hwn ar gael gan y Llyfrgell Brydeinig.

Argraffwyd gan Belmont Press, Northampton, UK

 Elusen Gristnogol gydenwadol yw Scripture Union sy'n gweithio i rannu newyddion da Iesu gyda'r genhedlaeth nesaf.

Trwy ystod eang o weithgareddau, adnoddau a mentrau, rydym yn gwahodd plant a phobl ifanc i archwilio'r gwahaniaeth y gall Iesu ei wneud i heriau ac anturiaethau bywyd. Darganfyddwch fwy am ein gwaith yn: www.scriptureunion.org.uk

Gan Gemma Willis

Darluniau gan Emma Randall

Addasiad Cymraeg gan Delyth Wyn

Mae'r siocled yn grêt, ond dirgelwch i mi
yw pam dathlu'r Pasg? A wyddost ti?
Cwningod a chywion, blodau mor hardd,
tywydd mwy heulog a chwarae'n yr ardd?

Ond yna fe ddysgais, heb ddeall o'n i,
fe fethais ei ystyr yng nghanol y sbri -
mae'r Pasg gymaint mwy, mae hyn nawr yn glir,
mae'r stori tu cefn i'r dathlu yn wir!

'Mhell, bell yn ôl, i'ch rhoi yn y llun,
baban a anwyd, a thyfodd yn ddyn.
Dangosodd ei gariad i bawb oedd yn byw,
ei enw oedd Iesu, ef hefyd oedd Duw!

Duw fel bod dynol, fel ti ac fel fi,
fu'n byw yn ein plith ni. Fel gallwn ni
weld faint mae'n ein caru, ein caru i gyd,
anfonodd ei Fab o'r nef lawr i'n byd.

Ac Iesu a ddaeth o'r nefoedd i lawr,
anfonwyd gan Dduw yn ei gynllun mawr
i ddangos ffordd newydd i bawb yn y byd
gael 'nabod y Duw sy'n eu caru i gyd.

Roedd Duw eisiau'r gorau i bawb yn ei fyd,
cael byw'n agos ato, ond methwn o hyd.
Weithiau, gwneud llanast a'i wrthod a wnawn
ac ni all ef esgus bod popeth yn iawn.

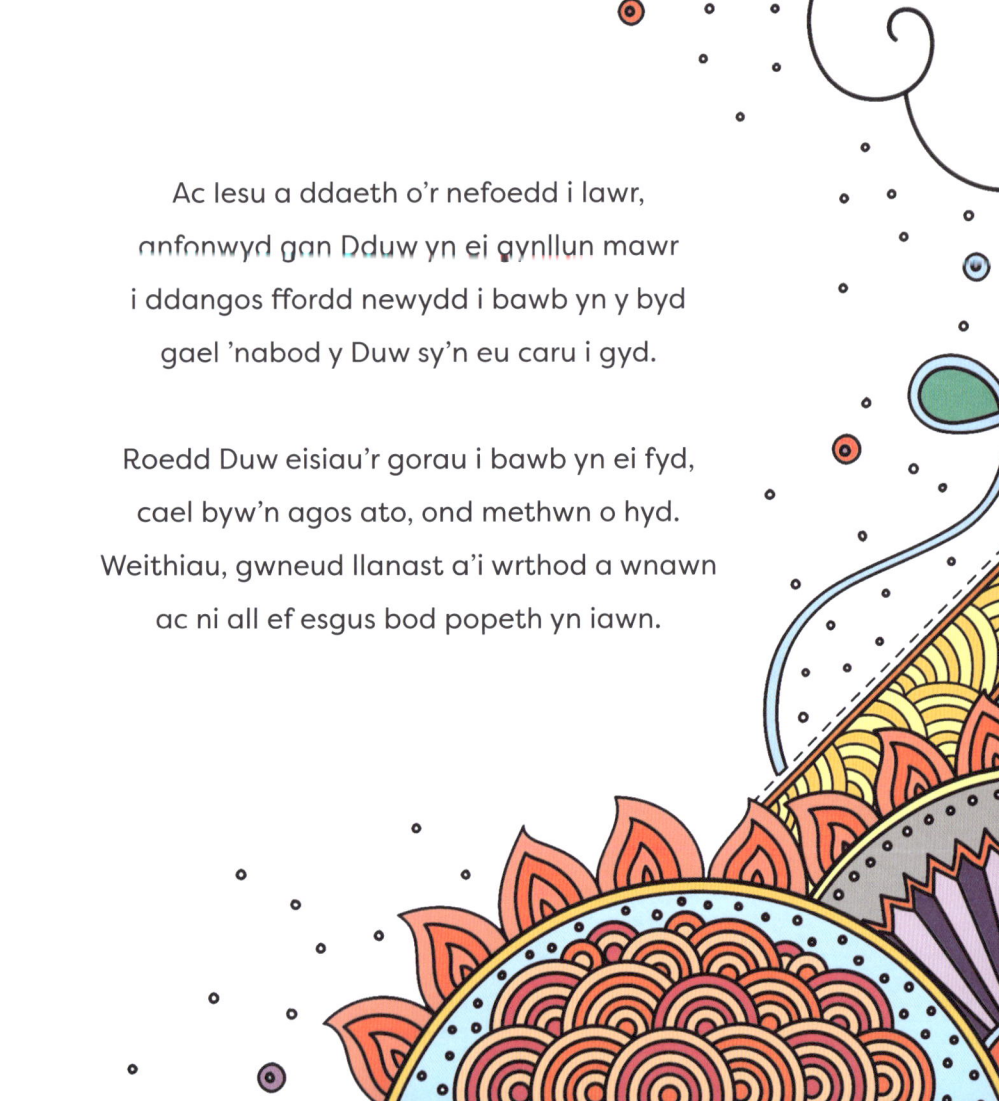

Paid ofni dim, er i hyn fod mor drist,
fe drefnodd Duw'r ffordd i'w Fab Iesu Grist,
unwaith am byth a thros ddynol ryw,
farw ar groes i bob un gael byw.

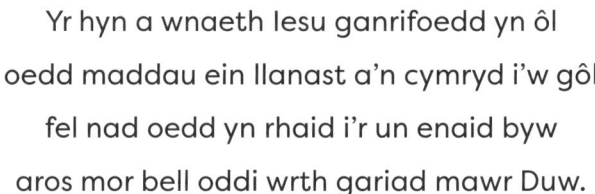

Yr hyn a wnaeth Iesu ganrifoedd yn ôl
oedd maddau ein llanast a'n cymryd i'w gôl
fel nad oedd yn rhaid i'r un enaid byw
aros mor bell oddi wrth gariad mawr Duw.

Atgoffodd Iesu y bobl am Dduw
a phwysigrwydd ei eiriau am sut i fyw
ond ni wyddai'r bobl beth wnaethant o'i le
a dadlau a wnaethant am ei eiriau e'.

Dilynodd rhai Iesu, a gweld popeth wnaeth,
clywed ei eiriau, a mynd i ble'r aeth.
Fe gawsant gip bychan ar gynllun mawr Duw,
fe gredon nhw ynddo, a bod iddo'n driw.

Pan ddwedodd Iesu mai ef oedd Mab Duw
roedd rhai yn casáu beth ddwedai'n eu clyw.
Fe wnaethant gynllwynio wrth iddynt gwrdd
a chreu cynllun cas i'w gymryd i ffwrdd.

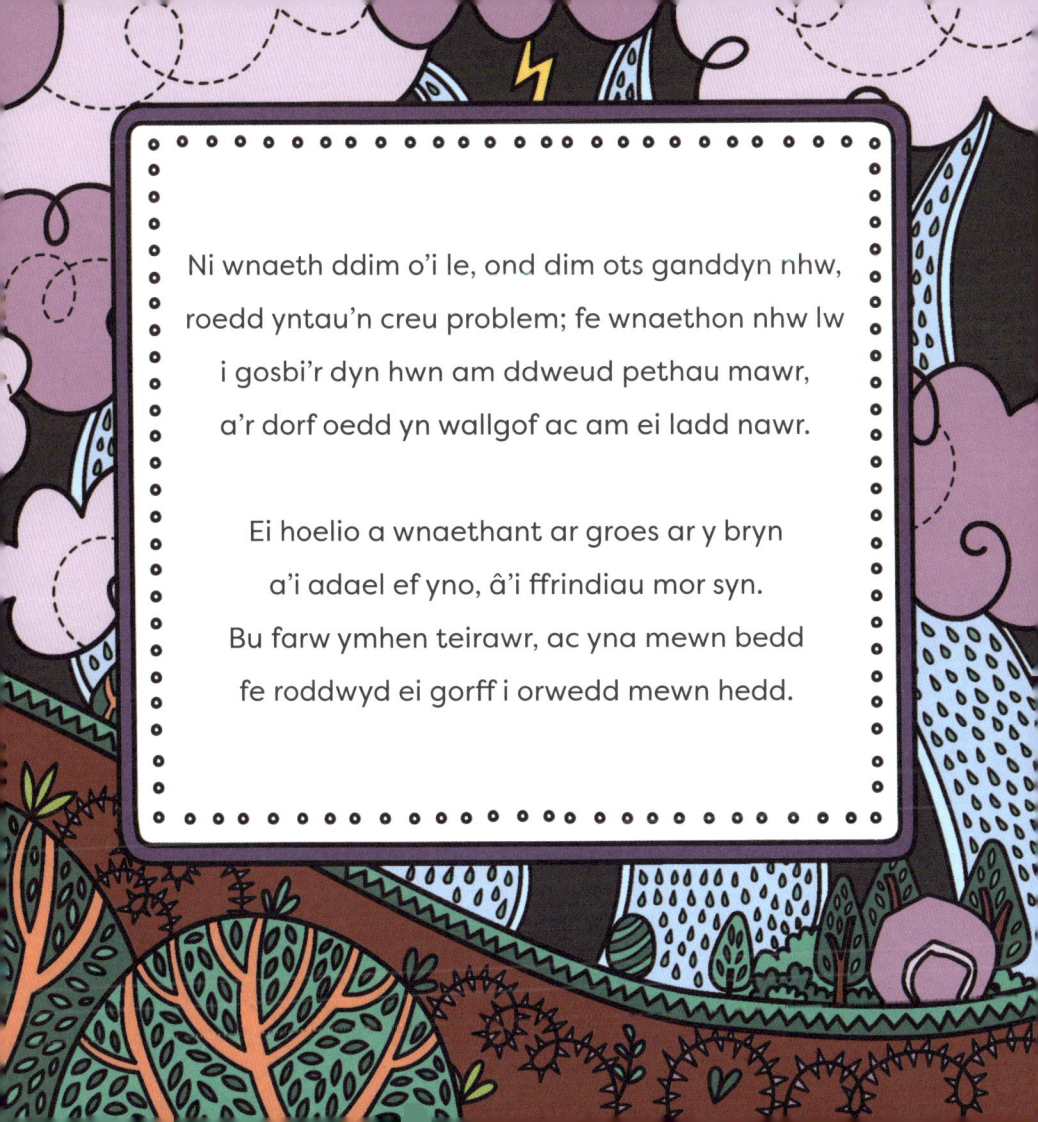

Ni wnaeth ddim o'i le, ond dim ots ganddyn nhw,
roedd yntau'n creu problem; fe wnaethon nhw lw
i gosbi'r dyn hwn am ddweud pethau mawr,
a'r dorf oedd yn wallgof ac am ei ladd nawr.

Ei hoelio a wnaethant ar groes ar y bryn
a'i adael ef yno, â'i ffrindiau mor syn.
Bu farw ymhen teirawr, ac yna mewn bedd
fe roddwyd ei gorff i orwedd mewn hedd.

Rhaid peidio anghofio bod ei ffrindiau yn drist
gan wylo ac wylo am eu ffrind Iesu Grist.
Roedd wedi dweud wrthynt y byddai e'n mynd
ond ni fedrent gredu beth ddwedai eu ffrind.

Sut oeddent i wybod mai fel hyn oedd hi i fod?
Fe gredent mai newid y byd oedd ei nod.
Sut allai ef farw? Roedd nawr wedi mynd.
Addawodd fod yno, onid ef oedd eu ffrind?

Fe ddwedodd o'r blaen mai ef oedd yr un
allai wneud pethau'n iawn, trwy roddi ei hun.
Ef, a neb arall, allai farw'n ein lle
fel unig Fab Duw, trwy ei gariad e'.

Anghofio a wnaethant beth ddwedodd Mab Duw,
y byddai yn marw a chodi yn fyw,
ac felly yr oeddent yn llawn gofidion,
roedd ef wedi mynd, eu byd oedd yn deilchion.

Dridiau yn hwyrach, aeth rhai at y bedd
i chwilio amdano, mor drist oedd eu gwedd.
Ond nid oedd ef yno, roedd Iesu yn fyw
yn union fel dwedodd ef gynt yn eu clyw.

A dyna yw pwrpas y Pasg, weli di,
bu farw'n ffrind Iesu drosot ti a mi!
Trwy'r hyn a wnaeth ef, newidiodd y byd
a dathlu mae'r Pasg y cyfan i gyd.

I ddarganfod mwy am yr hyn a wnaeth ac a ddywedodd Iesu, gallet ddarllen y stori hon drosot ti dy hun yn llyfr Luc yn y Beibl. Os nad wyt ti'n siŵr ble cei di Feibl, gofyn i'r bobl mewn capel neu eglwys leol a byddan nhw'n gallu helpu!

© Scripture Union 2022

ISBN 978 1 78506 8911

Scripture Union, Trinity House, Opal Court, Opal Drive, Fox Milne,
Milton Keynes, MK15 0DF, UK
E-bost: info@scriptureunion.org.uk
Gwefan: www.scriptureunion.org.uk

Cedwir pob hawl. Ni cheir atgynhyrchu unrhyw ran o'r cyhoeddiad hwn, ei storio mewn system adalw, na'i drosglwyddo ar unrhyw ffurf neu mewn unrhyw fodd electronig, mecanyddol, llungopïo, recordio neu fel arall, heb ganiatâd ymlaen llaw gan Scripture Union.

Mae Gemma Willis wedi datgan ei hawl i gael ei chydnabod yn awdur y gwaith hwn yn unol â Deddf Hawlfraint, Dyluniadau a Phatentau 1988.

Mae Emma Randall wedi datgan ei hawl i gael ei chydnabod yn arlunydd y gwaith hwn yn unol â Deddf Hawlfraint, Dyluniadau a Phatentau 1988.

Data Catalogio Cyhoeddiadau (CIP) y Llyfrgell Brydeinig. Mae cofnod catalogio'r llyfr hwn ar gael gan y Llyfrgell Brydeinig.

Argraffwyd gan Belmont Press, Northampton, UK.

 Elusen Gristnogol gydenwadol yw Scripture Union sy'n gweithio i rannu newyddion da Iesu gyda'r genhedlaeth nesaf.

Trwy ystod eang o weithgareddau, adnoddau a mentrau, rydym yn gwahodd plant a phobl ifanc i archwilio'r gwahaniaeth y gall Iesu ei wneud i heriau ac anturiaethau bywyd. Darganfyddwch fwy am ein gwaith yn: www.scriptureunion.org.uk

Gan Gemma Willis

Darluniau gan Emma Randall

Addasiad Cymraeg gan Delyth Wyn

Mae'r siocled yn grêt, ond dirgelwch i mi
yw pam dathlu'r Pasg? A wyddost ti?
Cwningod a chywion, blodau mor hardd,
tywydd mwy heulog a chwarae'n yr ardd?

Ond yna fe ddysgais, heb ddeall o'n i,
fe fethais ei ystyr yng nghanol y sbri -
mae'r Pasg gymaint mwy, mae hyn nawr yn glir,
mae'r stori tu cefn i'r dathlu yn wir!

'Mhell, bell yn ôl, i'ch rhoi yn y llun,
baban a anwyd, a thyfodd yn ddyn.
Dangosodd ei gariad i bawb oedd yn byw,
ei enw oedd Iesu, ef hefyd oedd Duw!

Duw fel bod dynol, fel ti ac fel fi,
fu'n byw yn ein plith ni. Fel gallwn ni
weld faint mae'n ein caru, ein caru i gyd,
anfonodd ei Fab o'r nef lawr i'n byd.

Ac Iesu a ddaeth o'r nefoedd i lawr,
anfonwyd gan Dduw yn ei gynllun mawr
i ddangos ffordd newydd i bawb yn y byd
gael 'nabod y Duw sy'n eu caru i gyd.

Roedd Duw eisiau'r gorau i bawb yn ei fyd,
cael byw'n agos ato, ond methwn o hyd.
Weithiau, gwneud llanast a'i wrthod a wnawn
ac ni all ef esgus bod popeth yn iawn.

Paid ofni dim, er i hyn fod mor drist,
fe drefnodd Duw'r ffordd i'w Fab Iesu Grist,
unwaith am byth a thros ddynol ryw,
farw ar groes i bob un gael byw.

Yr hyn a wnaeth Iesu ganrifoedd yn ôl
oedd maddau ein llanast a'n cymryd i'w gôl
fel nad oedd yn rhaid i'r un enaid byw
aros mor bell oddi wrth gariad mawr Duw.

Atgoffodd Iesu y bobl am Dduw
a phwysigrwydd ei eiriau am sut i fyw
ond ni wyddai'r bobl beth wnaethant o'i le
a dadlau a wnaethant am ei eiriau e'.

Dilynodd rhai Iesu, a gweld popeth wnaeth,
clywed ei eiriau, a mynd i ble'r aeth.
Fe gawsant gip bychan ar gynllun mawr Duw,
fe gredon nhw ynddo, a bod iddo'n driw.

Pan ddwedodd Iesu mai ef oedd Mab Duw
roedd rhai yn casáu beth ddwedai'n eu clyw.
Fe wnaethant gynllwynio wrth iddynt gwrdd
a chreu cynllun cas i'w gymryd i ffwrdd.

Ni wnaeth ddim o'i le, ond dim ots ganddyn nhw,
roedd yntau'n creu problem; fe wnaethon nhw lw
i gosbi'r dyn hwn am ddweud pethau mawr,
a'r dorf oedd yn wallgof ac am ei ladd nawr.

Ei hoelio a wnaethant ar groes ar y bryn
a'i adael ef yno, â'i ffrindiau mor syn.
Bu farw ymhen teirawr, ac yna mewn bedd
fe roddwyd ei gorff i orwedd mewn hedd.

Rhaid peidio anghofio bod ei ffrindiau yn drist
gan wylo ac wylo am eu ffrind Iesu Grist.
Roedd wedi dweud wrthynt y byddai e'n mynd
ond ni fedrent gredu beth ddwedai eu ffrind.

Sut oeddent i wybod mai fel hyn oedd hi i fod?
Fe gredent mai newid y byd oedd ei nod.
Sut allai ef farw? Roedd nawr wedi mynd.
Addawodd fod yno, onid ef oedd eu ffrind?

Fe ddwedodd o'r blaen mai ef oedd yr un
allai wneud pethau'n iawn, trwy roddi ei hun.
Ef, a neb arall, allai farw'n ein lle
fel unig Fab Duw, trwy ei gariad e'.

Anghofio a wnaethant beth ddwedodd Mab Duw,
y byddai yn marw a chodi yn fyw,
ac felly yr oeddent yn llawn gofidion,
roedd ef wedi mynd, eu byd oedd yn deilchion.

Dridiau yn hwyrach, aeth rhai at y bedd
i chwilio amdano, mor drist oedd eu gwedd.
Ond nid oedd ef yno, roedd Iesu yn fyw
yn union fel dwedodd ef gynt yn eu clyw.

A dyna yw pwrpas y Pasg, weli di,
bu farw'n ffrind Iesu drosot ti a mi!
Trwy'r hyn a wnaeth ef, newidiodd y byd
a dathlu mae'r Pasg y cyfan i gyd.

I ddarganfod mwy am yr hyn a wnaeth ac a ddywedodd Iesu, gallet ddarllen y stori hon drosot ti dy hun yn llyfr Luc yn y Beibl. Os nad wyt ti'n siŵr ble cei di Feibl, gofyn i'r bobl mewn capel neu eglwys leol a byddan nhw'n gallu helpu!

© Scripture Union 2022

ISBN 978 1 78506 891 1

Scripture Union, Trinity House, Opal Court, Opal Drive, Fox Milne,
Milton Keynes, MK15 0DF, UK
E-bost: info@scriptureunion.org.uk
Gwefan: www.scriptureunion.org.uk

Cedwir pob hawl. Ni cheir atgynhyrchu unrhyw ran o'r cyhoeddiad hwn, ei storio mewn system adalw, na'i drosglwyddo ar unrhyw ffurf neu mewn unrhyw fodd electronig, mecanyddol, llungopïo, recordio neu fel arall, heb ganiatâd ymlaen llaw gan Scripture Union.

Mae Gemma Willis wedi datgan ei hawl i gael ei chydnabod yn awdur y gwaith hwn yn unol â Deddf Hawlfraint, Dyluniadau a Phatentau 1988.

Mae Emma Randall wedi datgan ei hawl i gael ei chydnabod yn arlunydd y gwaith hwn yn unol â Deddf Hawlfraint, Dyluniadau a Phatentau 1988.

Data Catalogio Cyhoeddiadau (CIP) y Llyfrgell Brydeinig. Mae cofnod catalogio'r llyfr hwn ar gael gan y Llyfrgell Brydeinig.

Argraffwyd gan Belmont Press, Northampton, UK.

 Elusen Gristnogol gydenwadol yw Scripture Union sy'n gweithio i rannu newyddion da Iesu gyda'r genhedlaeth nesaf.

Trwy ystod eang o weithgareddau, adnoddau a mentrau, rydym yn gwahodd plant a phobl ifanc i archwilio'r gwahaniaeth y gall Iesu ei wneud i heriau ac anturiaethau bywyd. Darganfyddwch fwy am ein gwaith yn: www.scriptureunion.org.uk

Gan Gemma Willis

Darluniau gan Emma Randall

Addasiad Cymraeg gan Delyth Wyn

Mae'r siocled yn grêt, ond dirgelwch i mi
yw pam dathlu'r Pasg? A wyddost ti?
Cwningod a chywion, blodau mor hardd,
tywydd mwy heulog a chwarae'n yr ardd?

Ond yna fe ddysgais, heb ddeall o'n i,
fe fethais ei ystyr yng nghanol y sbri -
mae'r Pasg gymaint mwy, mae hyn nawr yn glir,
mae'r stori tu cefn i'r dathlu yn wir!

'Mhell, bell yn ôl, i'ch rhoi yn y llun,
baban a anwyd, a thyfodd yn ddyn.
Dangosodd ei gariad i bawb oedd yn byw,
ei enw oedd Iesu, ef hefyd oedd Duw!

Duw fel bod dynol, fel ti ac fel fi,
fu'n byw yn ein plith ni. Fel gallwn ni
weld faint mae'n ein caru, ein caru i gyd,
anfonodd ei Fab o'r nef lawr i'n byd.

Ac Iesu a ddaeth o'r nefoedd i lawr,
anfonwyd gan Dduw yn ei gynllun mawr
i ddangos ffordd newydd i bawb yn y byd
gael 'nabod y Duw sy'n eu caru i gyd.

Roedd Duw eisiau'r gorau i bawb yn ei fyd,
cael byw'n agos ato, ond methwn o hyd.
Weithiau, gwneud llanast a'i wrthod a wnawn
ac ni all ef esgus bod popeth yn iawn.

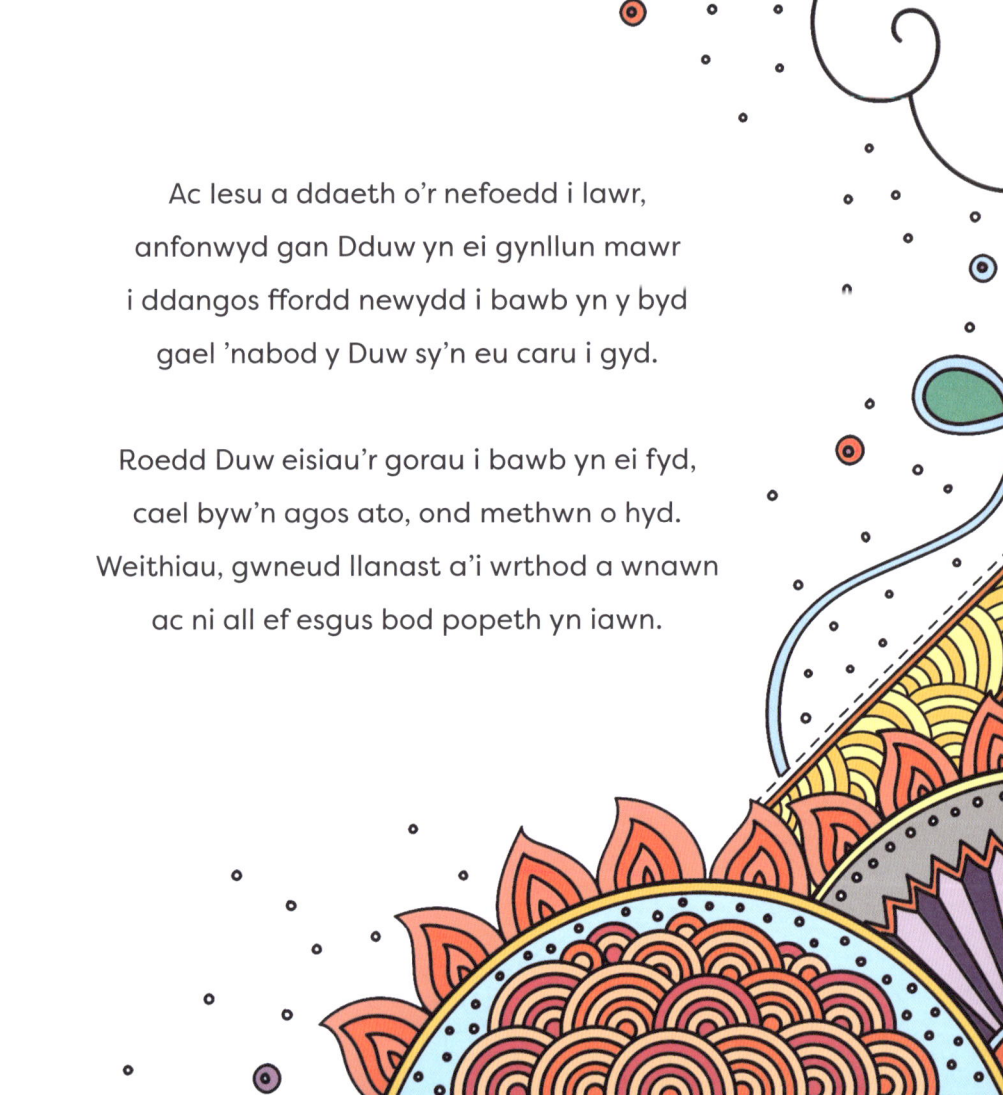

Paid ofni dim, or i hyn fod mor drist,
fe drefnodd Duw'r ffordd i'w Fab Iesu Grist,
unwaith am byth a thros ddynol ryw,
farw ar groes i bob un gael byw.

Yr hyn a wnaeth Iesu ganrifoedd yn ôl
oedd maddau ein llanast a'n cymryd i'w gôl
fel nad oedd yn rhaid i'r un enaid byw
aros mor bell oddi wrth gariad mawr Duw.

Atgoffodd Iesu y bobl am Dduw
a phwysigrwydd ei eiriau am sut i fyw
ond ni wyddai'r bobl beth wnaethant o'i le
a dadlau a wnaethant am ei eiriau e'.

Dilynodd rhai Iesu, a gweld popeth wnaeth,
clywed ei eiriau, a mynd i ble'r aeth.
Fe gawsant gip bychan ar gynllun mawr Duw,
fe gredon nhw ynddo, a bod iddo'n driw.

Pan ddwedodd Iesu mai ef oedd Mab Duw
roedd rhai yn casáu beth ddwedai'n eu clyw.
Fe wnaethant gynllwynio wrth iddynt gwrdd
a chreu cynllun cas i'w gymryd i ffwrdd.

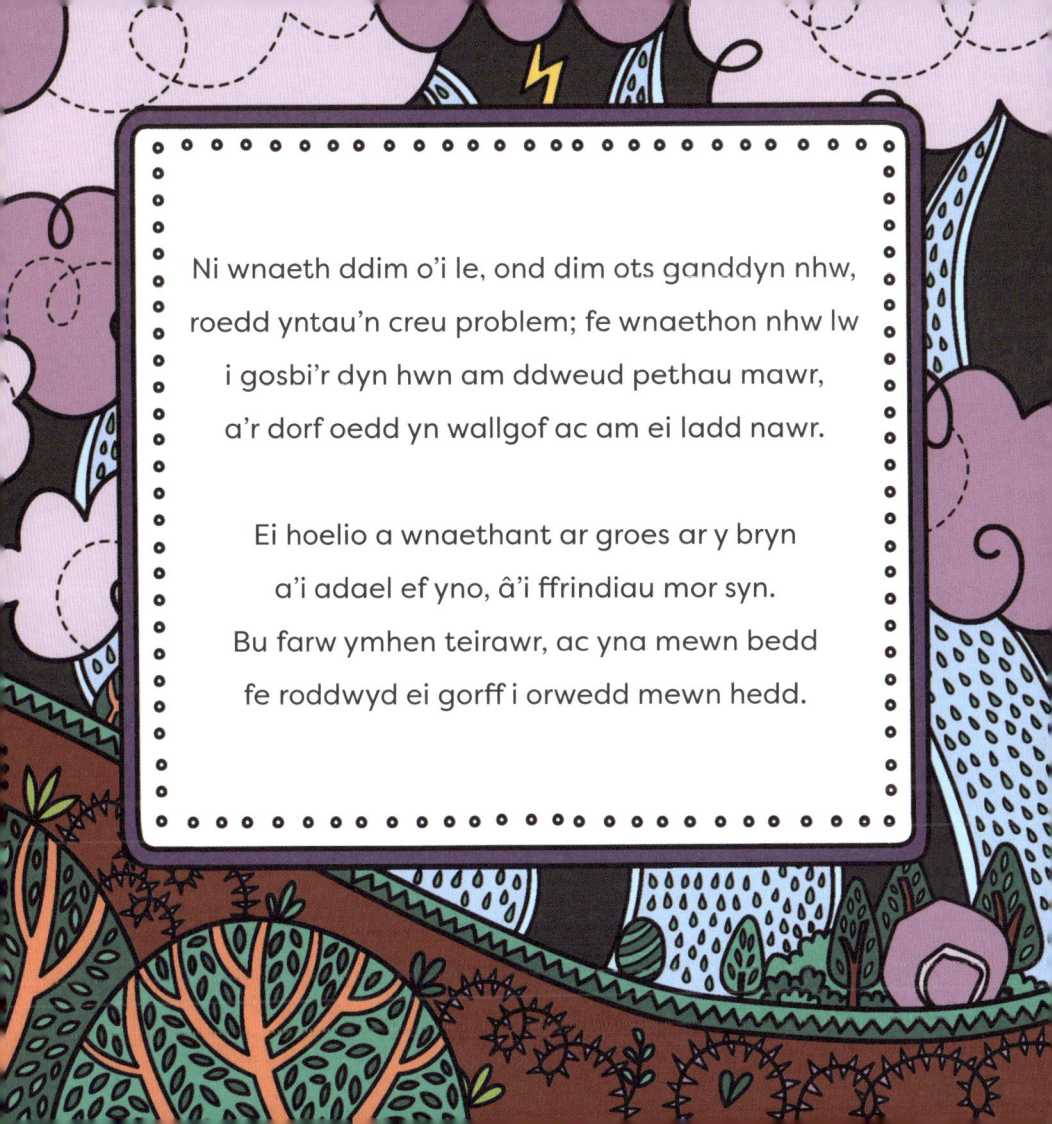

Ni wnaeth ddim o'i le, ond dim ots ganddyn nhw,
roedd yntau'n creu problem; fe wnaethon nhw lw
i gosbi'r dyn hwn am ddweud pethau mawr,
a'r dorf oedd yn wallgof ac am ei ladd nawr.

Ei hoelio a wnaethant ar groes ar y bryn
a'i adael ef yno, â'i ffrindiau mor syn.
Bu farw ymhen teirawr, ac yna mewn bedd
fe roddwyd ei gorff i orwedd mewn hedd.

Rhaid peidio anghofio bod ei ffrindiau yn drist
gan wylo ac wylo am eu ffrind Iesu Grist.
Roedd wedi dweud wrthynt y byddai e'n mynd
ond ni fedrent gredu beth ddwedai eu ffrind.

Sut oeddent i wybod mai fel hyn oedd hi i fod?
Fe gredent mai newid y byd oedd ei nod.
Sut allai ef farw? Roedd nawr wedi mynd.
Addawodd fod yno, onid ef oedd eu ffrind?

Fe ddwedodd o'r blaen mai ef oedd yr un
allai wneud pethau'n iawn, trwy roddi ei hun.
Ef, a neb arall, allai farw'n ein lle
fel unig Fab Duw, trwy ei gariad e'.

Anghofio a wnaethant beth ddwedodd Mab Duw,
y byddai yn marw a chodi yn fyw,
ac felly yr oeddent yn llawn gofidion,
roedd ef wedi mynd, eu byd oedd yn deilchion.

Dridiau yn hwyrach, aeth rhai at y bedd
i chwilio amdano, mor drist oedd eu gwedd.
Ond nid oedd ef yno, roedd Iesu yn fyw
yn union fel dwedodd ef gynt yn eu clyw.

A dyna yw pwrpas y Pasg, weli di,
bu farw'n ffrind Iesu drosot ti a mi!
Trwy'r hyn a wnaeth ef, newidiodd y byd
a dathlu mae'r Pasg y cyfan i gyd.

I ddarganfod mwy am yr hyn a wnaeth ac a ddywedodd Iesu, gallet ddarllen y stori hon drosot ti dy hun yn llyfr Luc yn y Beibl. Os nad wyt ti'n siŵr ble cei di Feibl, gofyn i'r bobl mewn capel neu eglwys leol a byddan nhw'n gallu helpu!

© Scripture Union 2022

ISBN 978 1 78506 891 1

Scripture Union, Trinity House, Opal Court, Opal Drive, Fox Milne,
Milton Keynes, MK15 0DF, UK
E-bost: info@scriptureunion.org.uk
Gwefan: www.scriptureunion.org.uk

Cedwir pob hawl. Ni cheir atgynhyrchu unrhyw ran o'r cyhoeddiad hwn, ei storio mewn system adalw, na'i drosglwyddo ar unrhyw ffurf neu mewn unrhyw fodd electronig, mecanyddol, llungopïo, recordio neu fel arall, heb ganiatâd ymlaen llaw gan Scripture Union.

Mae Gemma Willis wedi datgan ei hawl i gael ei chydnabod yn awdur y gwaith hwn yn unol â Deddf Hawlfraint, Dyluniadau a Phatentau 1988.

Mae Emma Randall wedi datgan ei hawl i gael ei chydnabod yn arlunydd y gwaith hwn yn unol â Deddf Hawlfraint, Dyluniadau a Phatentau 1988.

Data Catalogio Cyhoeddiadau (CIP) y Llyfrgell Brydeinig. Mae cofnod catalogio'r llyfr hwn ar gael gan y Llyfrgell Brydeinig.

Argraffwyd gan Belmont Press, Northampton, UK.

 Elusen Gristnogol gydenwadol yw Scripture Union sy'n gweithio i rannu newyddion da Iesu gyda'r genhedlaeth nesaf.

Trwy ystod eang o weithgareddau, adnoddau a mentrau, rydym yn gwahodd plant a phobl ifanc i archwilio'r gwahaniaeth y gall Iesu ei wneud i heriau ac anturiaethau bywyd. Darganfyddwch fwy am ein gwaith yn: www.scriptureunion.org.uk

BU FARW IESU DROSOF FI?

Gan Gemma Willis

Darluniau gan Emma Randall

Addasiad Cymraeg gan Delyth Wyn

Ond yna fe ddysgais, heb ddeall o'n i,
fe fethais ei ystyr yng nghanol y sbri -
mae'r Pasg gymaint mwy, mae hyn nawr yn glir,
mae'r stori tu cefn i'r dathlu yn wir!

'Mhell, bell yn ôl, i'ch rhoi yn y llun,
baban a anwyd, a thyfodd yn ddyn.
Dangosodd ei gariad i bawb oedd yn byw,
ei enw oedd Iesu, ef hefyd oedd Duw!

Duw fel bod dynol, fel ti ac fel fi,
fu'n byw yn ein plith ni. Fel gallwn ni
weld faint mae'n ein caru, ein caru i gyd,
anfonodd ei Fab o'r nef lawr i'n byd.

Ac Iesu a ddaeth o'r nefoedd i lawr,
anfonwyd gan Dduw yn ei gynllun mawr
i ddangos ffordd newydd I bawb yn y byd
gael 'nabod y Duw sy'n eu caru i gyd.

Roedd Duw eisiau'r gorau i bawb yn ei fyd,
cael byw'n agos ato, ond methwn o hyd.
Weithiau, gwneud llanast a'i wrthod a wnawn
ac ni all ef esgus bod popeth yn iawn.

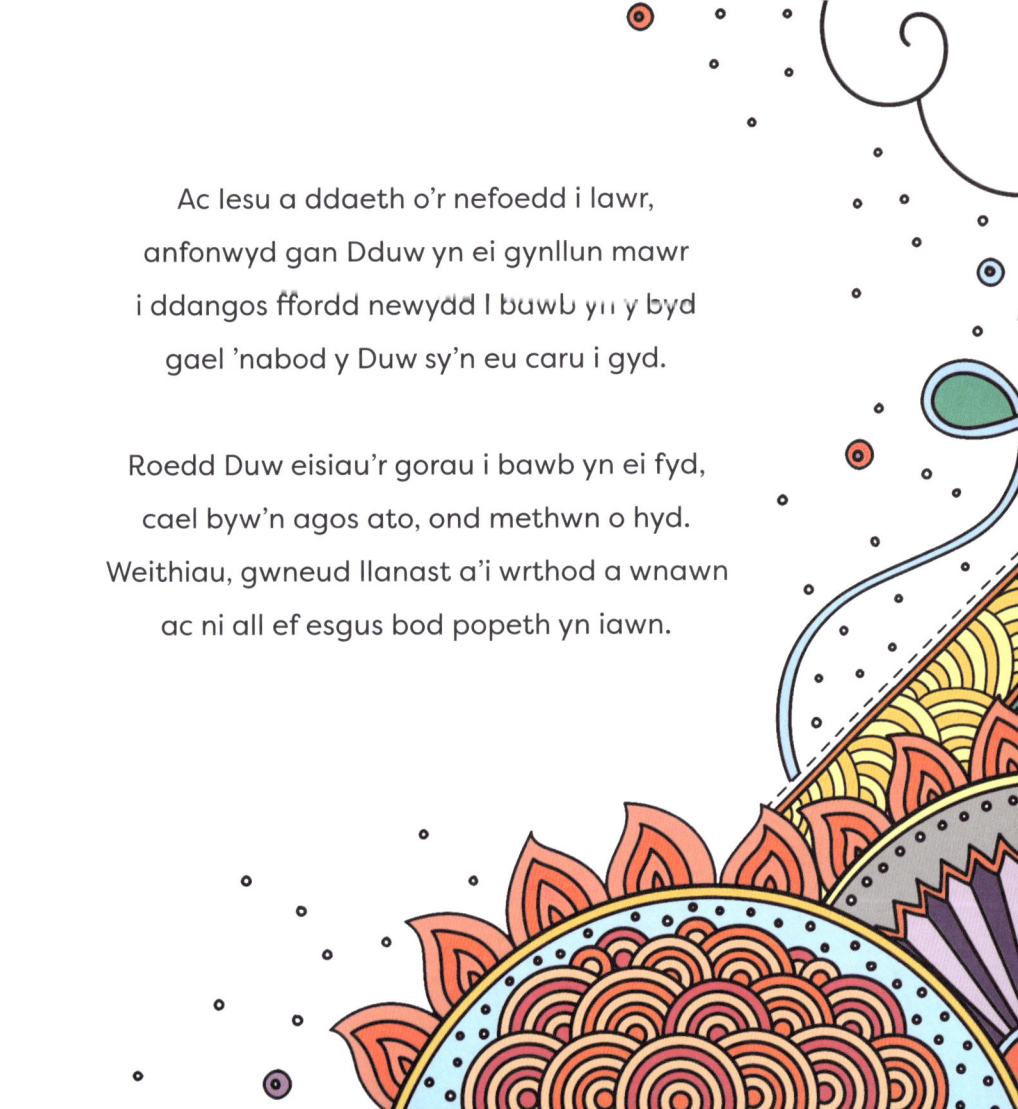

Paid ofni dim, er i hyn fod mor drist,
fe drefnodd Duw'r ffordd i'w Fab Iesu Grist,
unwaith am byth a thros ddynol ryw,
farw ar groes i bob un gael byw.

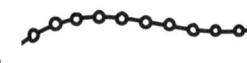

Yr hyn a wnaeth Iesu ganrifoedd yn ôl
oedd maddau ein llanast a'n cymryd i'w gôl
fel nad oedd yn rhaid i'r un enaid byw
aros mor bell oddi wrth gariad mawr Duw.

Atgoffodd Iesu y bobl am Dduw
a phwysigrwydd ei eiriau am sut i fyw
ond ni wyddai'r bobl beth wnaethant o'i le
a dadlau a wnaethant am ei eiriau e'.

Dilynodd rhai Iesu, a gweld popeth wnaeth,
clywed ei eiriau, a mynd i ble'r aeth.
Fe gawsant gip bychan ar gynllun mawr Duw,
fe gredon nhw ynddo, a bod iddo'n driw.

Pan ddwedodd Iesu mai ef oedd Mab Duw
roedd rhai yn casáu beth ddwedai'n eu clyw.
Fe wnaethant gynllwynio wrth iddynt gwrdd
a chreu cynllun cas i'w gymryd i ffwrdd.

Ni wnaeth ddim o'i le, ond dim ots ganddyn nhw,
roedd yntau'n creu problem; fe wnaethon nhw lw
i gosbi'r dyn hwn am ddweud pethau mawr,
a'r dorf oedd yn wallgof ac am ei ladd nawr.

Ei hoelio a wnaethant ar groes ar y bryn
a'i adael ef yno, â'i ffrindiau mor syn.
Bu farw ymhen teirawr, ac yna mewn bedd
fe roddwyd ei gorff i orwedd mewn hedd.

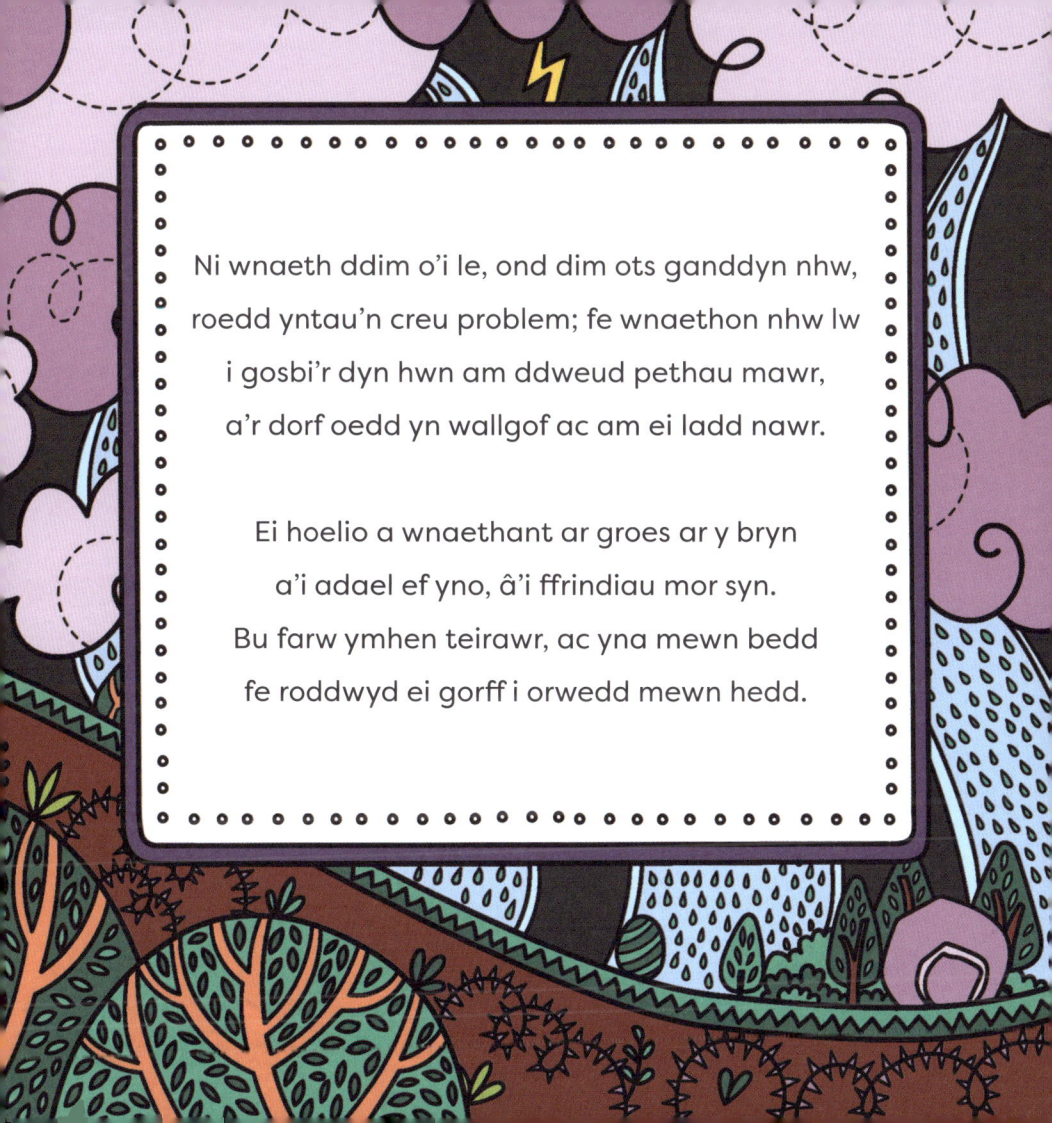

Rhaid peidio anghofio bod ei ffrindiau yn drist
gan wylo ac wylo am eu ffrind Iesu Grist.
Roedd wedi dweud wrthynt y byddai e'n mynd
ond ni fedrent gredu beth ddwedai eu ffrind.

Sut oeddent i wybod mai fel hyn oedd hi i fod?
Fe gredent mai newid y byd oedd ei nod.
Sut allai ef farw? Roedd nawr wedi mynd.
Addawodd fod yno, onid ef oedd eu ffrind?

Fe ddwedodd o'r blaen mai ef oedd yr un
allai wneud pethau'n iawn, trwy roddi ei hun.
Ef, a neb arall, allai farw'n ein lle
fel unig Fab Duw, trwy ei gariad e'.

Anghofio a wnaethant beth ddwedodd Mab Duw,
y byddai yn marw a chodi yn fyw,
ac felly yr oeddent yn llawn gofidion,
roedd ef wedi mynd, eu byd oedd yn deilchion.

Dridiau yn hwyrach, aeth rhai at y bedd
i chwilio amdano, mor drist oedd eu gwedd.
Ond nid oedd ef yno, roedd Iesu yn fyw
yn union fel dwedodd ef gynt yn eu clyw.

A dyna yw pwrpas y Pasg, weli di,
bu farw'n ffrind Iesu drosot ti a mi!
Trwy'r hyn a wnaeth ef, newidiodd y byd
a dathlu mae'r Pasg y cyfan i gyd.

I ddarganfod mwy am yr hyn a wnaeth ac a ddywedodd Iesu, gallet ddarllen y stori hon drosot ti dy hun yn llyfr Luc yn y Beibl. Os nad wyt ti'n siŵr ble cei di Feibl, gofyn i'r bobl mewn capel neu eglwys leol a byddan nhw'n gallu helpu!

© Scripture Union 2022

ISBN 978 1 78506 891 1

Scripture Union, Trinity House, Opal Court, Opal Drive, Fox Milne,
Milton Keynes, MK15 0DF, UK
E-bost: info@scriptureunion.org.uk
Gwefan: www.scriptureunion.org.uk

Cedwir pob hawl. Ni cheir atgynhyrchu unrhyw ran o'r cyhoeddiad hwn, ei storio mewn system adalw, na'i drosglwyddo ar unrhyw ffurf neu mewn unrhyw fodd electronig, mecanyddol, llungopïo, recordio neu fel arall, heb ganiatâd ymlaen llaw gan Scripture Union.

Mae Gemma Willis wedi datgan ei hawl i gael ei chydnabod yn awdur y gwaith hwn yn unol â Deddf Hawlfraint, Dyluniadau a Phatentau 1988.

Mae Emma Randall wedi datgan ei hawl i gael ei chydnabod yn arlunydd y gwaith hwn yn unol â Deddf Hawlfraint, Dyluniadau a Phatentau 1988.

Data Catalogio Cyhoeddiadau (CIP) y Llyfrgell Brydeinig. Mae cofnod catalogio'r llyfr hwn ar gael gan y Llyfrgell Brydeinig.

Argraffwyd gan Belmont Press, Northampton, UK.

 Elusen Gristnogol gydenwadol yw Scripture Union sy'n gweithio i rannu newyddion da Iesu gyda'r genhedlaeth nesaf.

Trwy ystod eang o weithgareddau, adnoddau a mentrau, rydym yn gwahodd plant a phobl ifanc i archwilio'r gwahaniaeth y gall Iesu ei wneud i heriau ac anturiaethau bywyd. Darganfyddwch fwy am ein gwaith yn: www.scriptureunion.org.uk

Gan Gemma Willis

Darluniau gan Emma Randall

Addasiad Cymraeg gan Delyth Wyn

Mae'r siocled yn grêt, ond dirgelwch i mi
yw pam dathlu'r Pasg? A wyddost ti?
Cwningod a chywion, blodau mor hardd,
tywydd mwy heulog a chwarae'n yr ardd?

Ond yna fe ddysgais, heb ddeall o'n i,
fe fethais ei ystyr yng nghanol y sbri -
mae'r Pasg gymaint mwy, mae hyn nawr yn glir,
mae'r stori tu cefn i'r dathlu yn wir!

'Mhell, bell yn ôl, i'ch rhoi yn y llun,
baban a anwyd, a thyfodd yn ddyn.
Dangosodd ei gariad i bawb oedd yn byw,
ei enw oedd Iesu, ef hefyd oedd Duw!

Duw fel bod dynol, fel ti ac fel fi,

fu'n byw yn ein plith ni. Fel gallwn ni

weld faint mae'n ein caru, ein caru i gyd,

anfonodd ei Fab o'r nef lawr i'n byd.

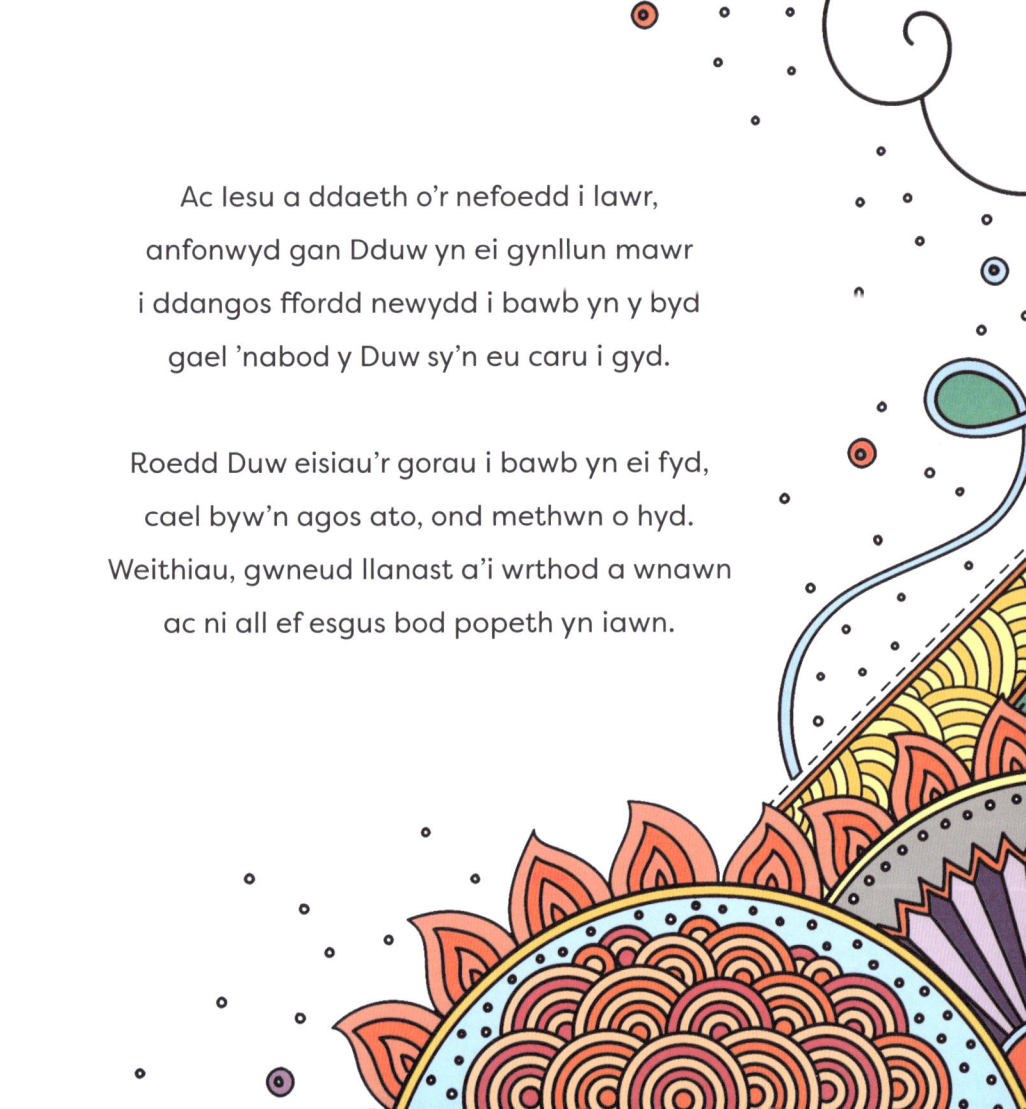

Ac Iesu a ddaeth o'r nefoedd i lawr,
anfonwyd gan Dduw yn ei gynllun mawr
i ddangos ffordd newydd i bawb yn y byd
gael 'nabod y Duw sy'n eu caru i gyd.

Roedd Duw eisiau'r gorau i bawb yn ei fyd,
cael byw'n agos ato, ond methwn o hyd.
Weithiau, gwneud llanast a'i wrthod a wnawn
ac ni all ef esgus bod popeth yn iawn.

Paid ofni dim, er i hyn fod mor drist,
fe drefnodd Duw'r ffordd i'w Fab Iesu Grist,
unwaith am byth a thros ddynol ryw,
farw ar groes i bob un gael byw.

Yr hyn a wnaeth Iesu ganrifoedd yn ôl
oedd maddau ein llanast a'n cymryd i'w gôl
fel nad oedd yn rhaid i'r un enaid byw
aros mor bell oddi wrth gariad mawr Duw.

Atgoffodd Iesu y bobl am Dduw
a phwysigrwydd ei eiriau am sut i fyw
ond ni wyddai'r bobl beth wnaethant o'i le
a dadlau a wnaethant am ei eiriau e'.

Dilynodd rhai Iesu, a gweld popeth wnaeth,
clywed ei eiriau, a mynd i ble'r aeth.
Fe gawsant gip bychan ar gynllun mawr Duw,
fe gredon nhw ynddo, a bod iddo'n driw.

Pan ddwedodd Iesu mai ef oedd Mab Duw
roedd rhai yn casáu beth ddwedai'n eu clyw.
Fe wnaethant gynllwynio wrth iddynt gwrdd
a chreu cynllun cas i'w gymryd i ffwrdd.

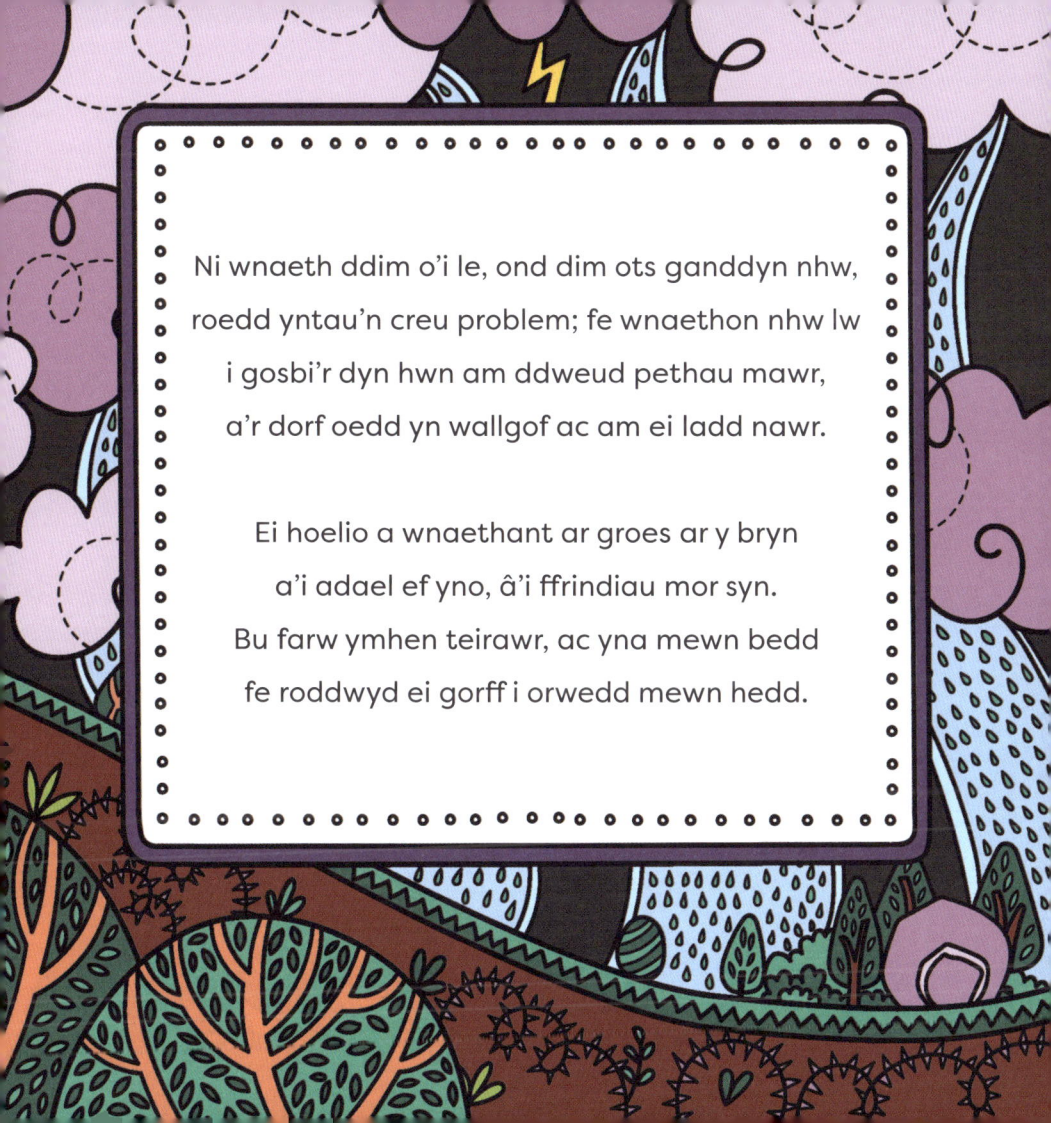

Ni wnaeth ddim o'i le, ond dim ots ganddyn nhw,
roedd yntau'n creu problem; fe wnaethon nhw lw
i gosbi'r dyn hwn am ddweud pethau mawr,
a'r dorf oedd yn wallgof ac am ei ladd nawr.

Ei hoelio a wnaethant ar groes ar y bryn
a'i adael ef yno, â'i ffrindiau mor syn.
Bu farw ymhen teirawr, ac yna mewn bedd
fe roddwyd ei gorff i orwedd mewn hedd.

Rhaid peidio anghofio bod ei ffrindiau yn drist
gan wylo ac wylo am eu ffrind Iesu Grist.
Roedd wedi dweud wrthynt y byddai e'n mynd
ond ni fedrent gredu beth ddwedai eu ffrind.

Sut oeddent i wybod mai fel hyn oedd hi i fod?
Fe gredent mai newid y byd oedd ei nod.
Sut allai ef farw? Roedd nawr wedi mynd.
Addawodd fod yno, onid ef oedd eu ffrind?

Fe ddwedodd o'r blaen mai ef oedd yr un
allai wneud pethau'n iawn, trwy roddi ei hun.
Ef, a neb arall, allai farw'n ein lle
fel unig Fab Duw, trwy ei gariad e'.

Anghofio a wnaethant beth ddwedodd Mab Duw,
y byddai yn marw a chodi yn fyw,
ac felly yr oeddent yn llawn gofidion,
roedd ef wedi mynd, eu byd oedd yn deilchion.

Dridiau yn hwyrach, aeth rhai at y bedd
i chwilio amdano, mor drist oedd eu gwedd.
Ond nid oedd ef yno, roedd Iesu yn fyw
yn union fel dwedodd ef gynt yn eu clyw.

A dyna yw pwrpas y Pasg, weli di,
bu farw'n ffrind Iesu drosot ti a mi!
Trwy'r hyn a wnaeth ef, newidiodd y byd
a dathlu mae'r Pasg y cyfan i gyd.

I ddarganfod mwy am yr hyn a wnaeth ac a ddywedodd Iesu, gallet ddarllen y stori hon drosot ti dy hun yn llyfr Luc yn y Beibl. Os nad wyt ti'n siŵr ble cei di Feibl, gofyn i'r bobl mewn capel neu eglwys leol a byddan nhw'n gallu helpu!

© Scripture Union 2022

ISBN 978 1 78506 891 1

Scripture Union, Trinity House, Opal Court, Opal Drive, Fox Milne,
Milton Keynes, MK15 0DF, UK
E-bost: info@scriptureunion.org.uk
Gwefan: www.scriptureunion.org.uk

Cedwir pob hawl. Ni cheir atgynhyrchu unrhyw ran o'r cyhoeddiad hwn, ei storio mewn system adalw, na'i drosglwyddo ar unrhyw ffurf neu mewn unrhyw fodd electronig, mecanyddol, llungopïo, recordio neu fel arall, heb ganiatâd ymlaen llaw gan Scripture Union.

Mae Gemma Willis wedi datgan ei hawl i gael ei chydnabod yn awdur y gwaith hwn yn unol â Deddf Hawlfraint, Dyluniadau a Phatentau 1988.

Mae Emma Randall wedi datgan ei hawl i gael ei chydnabod yn arlunydd y gwaith hwn yn unol â Deddf Hawlfraint, Dyluniadau a Phatentau 1988.

Data Catalogio Cyhoeddiadau (CIP) y Llyfrgell Brydeinig. Mae cofnod catalogio'r llyfr hwn ar gael gan y Llyfrgell Brydeinig.

Argraffwyd gan Belmont Press, Northampton, UK.

 Elusen Gristnogol gydenwadol yw Scripture Union sy'n gweithio i rannu newyddion da Iesu gyda'r genhedlaeth nesaf.

Trwy ystod eang o weithgareddau, adnoddau a mentrau, rydym yn gwahodd plant a phobl ifanc i archwilio'r gwahaniaeth y gall Iesu ei wneud i heriau ac anturiaethau bywyd. Darganfyddwch fwy am ein gwaith yn: www.scriptureunion.org.uk